監修 川島隆太教授

改訂版

元気脳練習帳

脳が活性化する 大人の漢字 脳ドリル

Gakken

本書「脳ドリル」で脳活性が実証されました

脳の前頭前野《ぜんとうぜんや》の機能低下を防ぎましょう

年齢を重ねていくうちに物忘れが多くなり、記憶力や注意力、判断力の衰えが始まります。

このような衰えの原因は、脳の前頭《ぜんとう》葉《よう》にある前頭前野《ぜんとうぜんや》の機能が低下したことによるものです。脳が行う情報処理、行動・感情の制御はこの前頭前《ぜんとうぜん》野《や》が担っており、社会生活を送る上で非常に重要な場所です。

そこで、脳の機能を守るためには、前頭前野《ぜんとうぜんや》の働きを活発にすることが必要となってきます。

脳の活性化を調べる実験をしました

脳の前頭前野《ぜんとうぜんや》を活発にする作業は何なのか、多数の実験を東北大学と学研の共同研究によって行いました。そのときの様子が右の写真です。

漢字や熟語の読み書き、音読、足し算や掛け算などの単純計算、なぞり書きの書写、イラスト間違い探し、文字のパズル、また写経やオセロ、積み木など幅広い作業を光トポグラフィという装置を使い、作業ごとに脳の血流の変化を調べていきました。

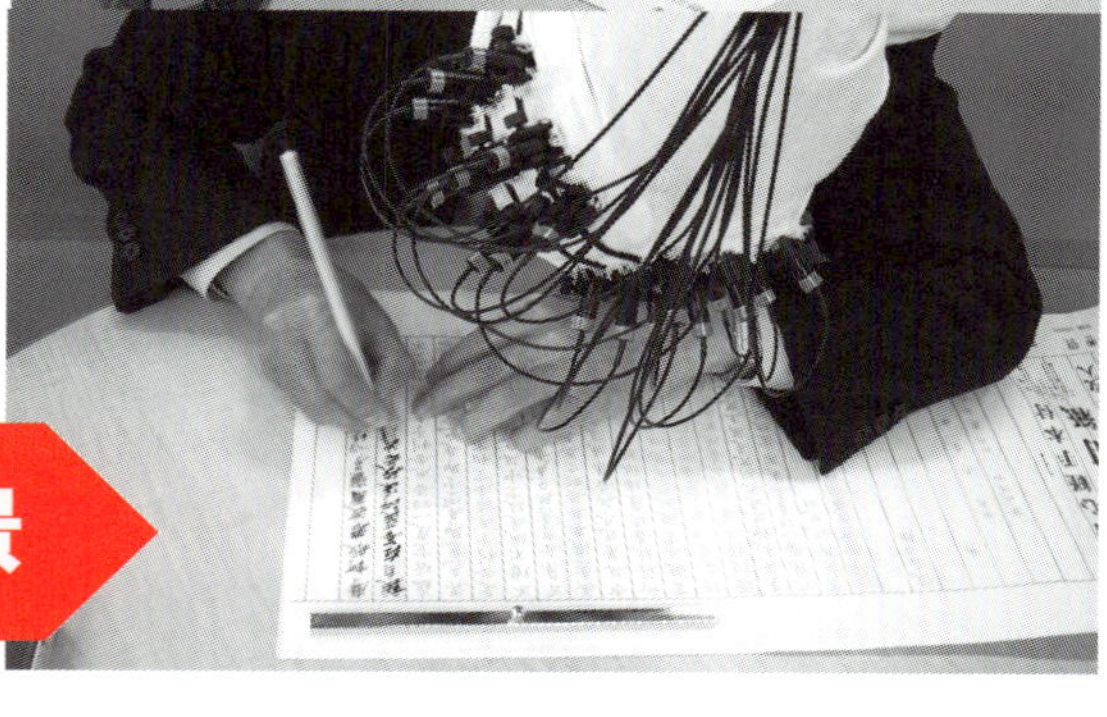

本書「脳ドリル」の実験風景

脳の血流変化を調べた実験画像

▼**実験前**（安静時）

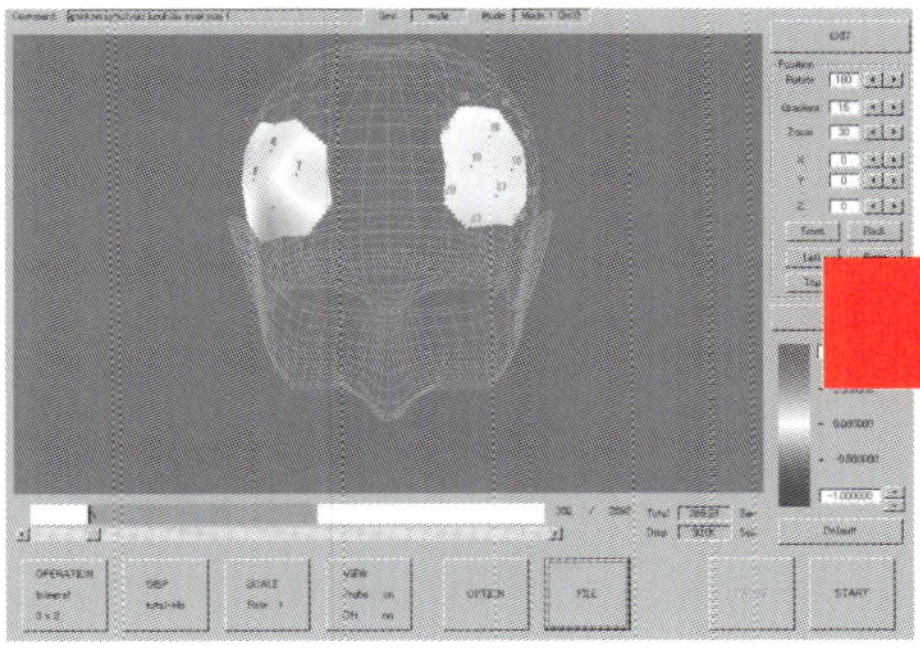

▼**脳ドリルの実験**

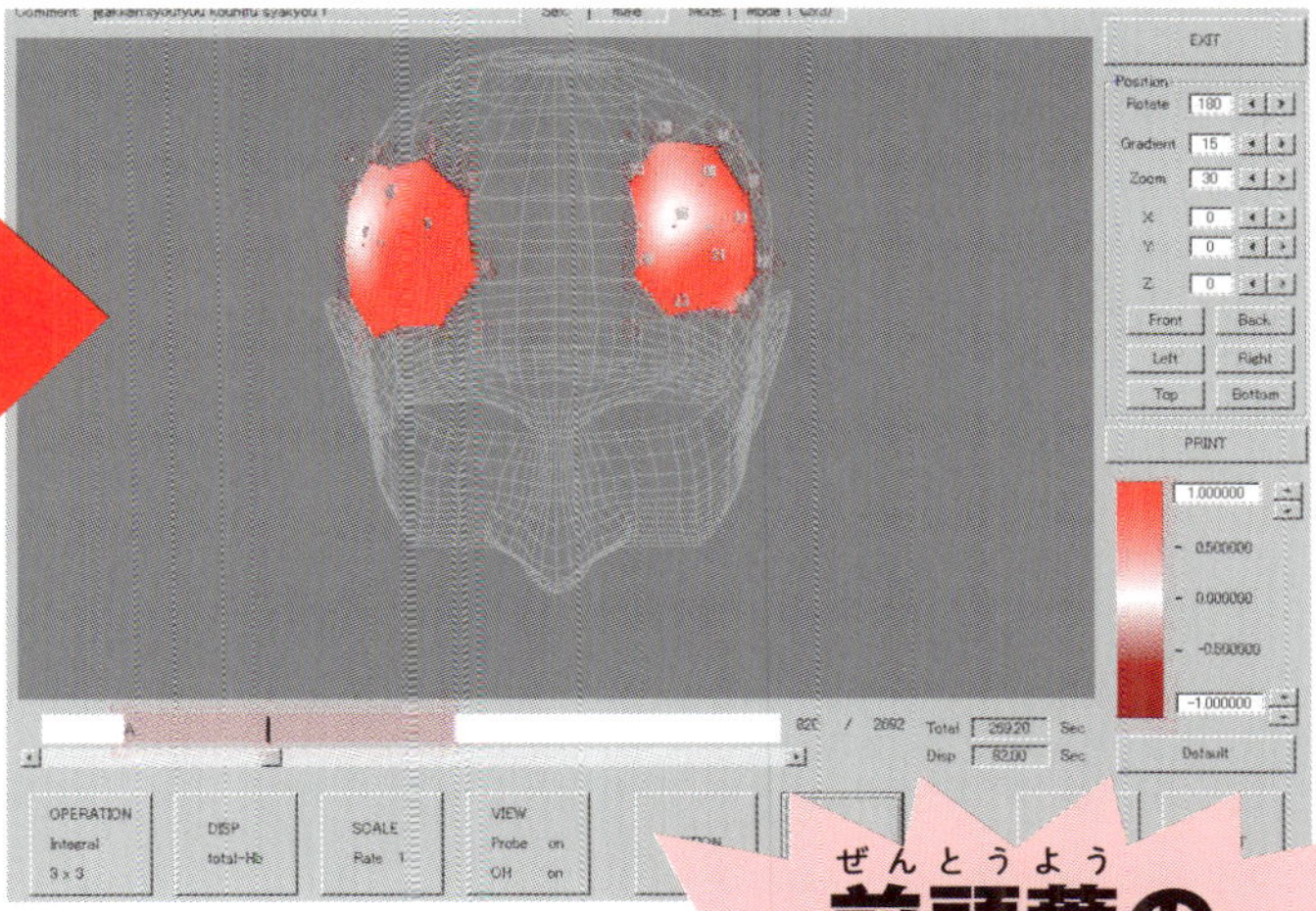

前頭葉《ぜんとうよう》の血流が増えて活性化!

脳ドリルで前頭葉《ぜんとうよう》の働きがアップします!

実験の結果、本書に掲載している漢字・熟語・言葉の読み書き問題に取り組むと、上の画像のとおり前頭葉《ぜんとうよう》の血流が増え、脳が非常に活性化していることが判明しました。

文字の読み書きは記憶力や認知力を使い、さらに手先をデリケートに動かすため、前頭葉《ぜんとうよう》の働きを活発に高める効果があります。本書「脳ドリル」で脳の活性化が実証されたのです。

監修 川島隆太（東北大学教授）

前頭前野《ぜんとうぜんや》をきたえる習慣が大切

脳の機能低下は前頭前野《ぜんとうぜんや》の衰えが原因です

「知っている人の名前が出てこない」「台所にきたのに、何をしにきたのかわからない」そんな経験をしたことはありませんか。

脳の機能は、実は20歳から低下しはじめることがわかっており、歳をとり、もの忘れが多くなるのは、自然なことです。ただし、脳の衰えに対して何もしなければ、前頭前野《ぜんとうぜんや》の機能は急激に下がっていくばかり。

やがて、社会生活を送ることが困難になっていきます。

人間らしい生活に重要な「前頭前野《ぜんとうぜんや》」の働き

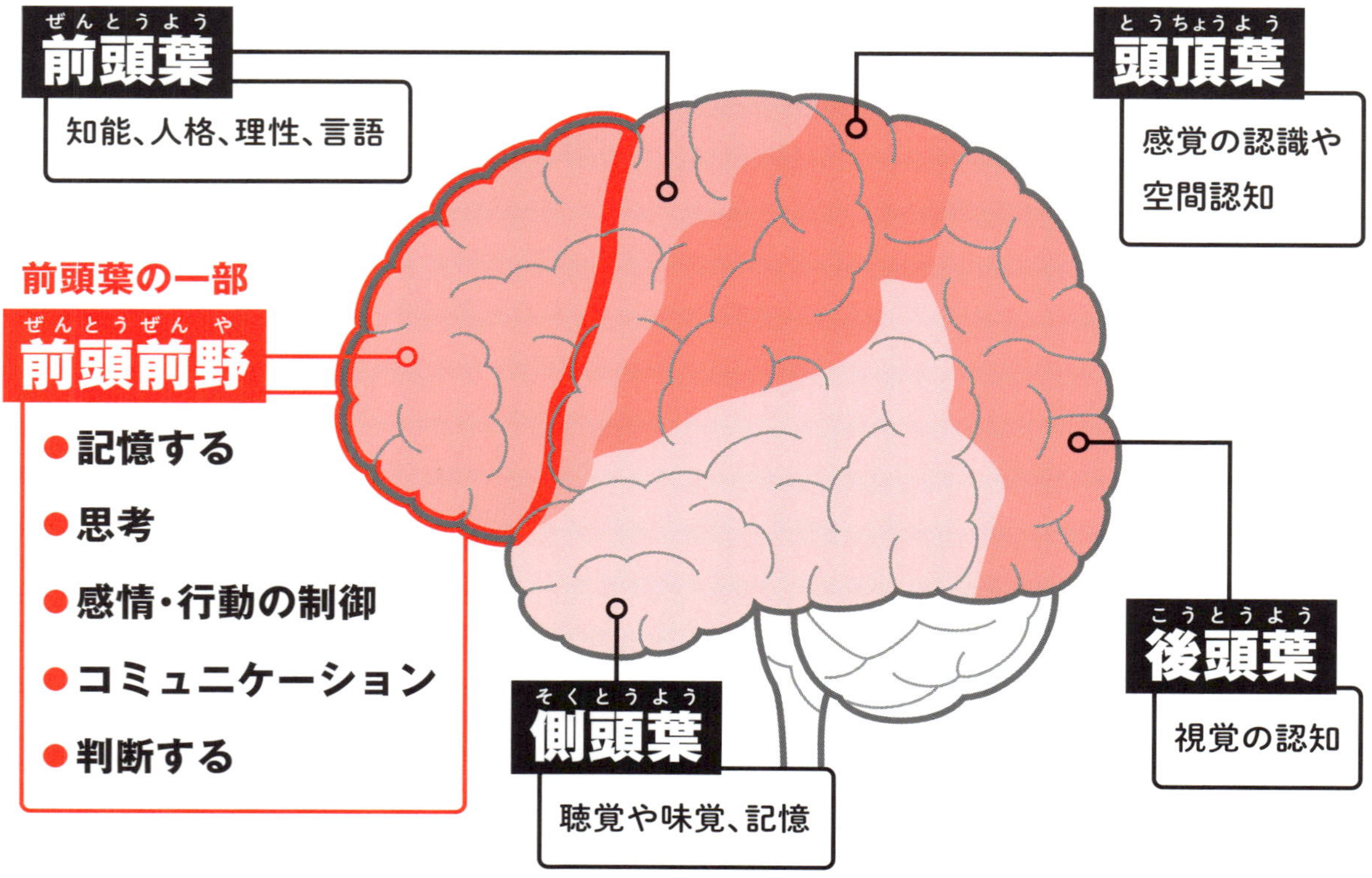

何歳でも脳トレで認知機能が向上！

脳を正しくきたえ脳機能の低下を防ぐ

　歳をとれば体の働きが低下するのと同じように、脳の働きも低下していきます。しかし、何もしないで歳をとるのは賢くありません。脳の健康を保つための習慣を身につければ、歳をとってもいきいきと暮らすことができるのです。

　私たちの研究では、どの年代であっても、脳をきたえると脳の認知機能が向上することが証明されています。

　体の健康のために体を動かすのと同様に、前頭前野《ぜんとうぜんや》を正しくきたえることで、機能の低下を防ぎ、活発に働くように保つことができるのです。特に有効な作業が、実際に手を使って文字や数字を書くこと。そうです、わかりやすくいえば、「読み書き計算」です。

本書に直接書き込み、脳をきたえましょう

　では、テレビを見たり、スマホを使ったりするときの脳は働いているでしょうか？

　実は、このときの脳の前頭前野《ぜんとうぜんや》はほとんど使われていません。

　パソコンやスマホで文字を入力する際には、画面に出てくる漢字の候補を選択するだけですから、漢字を書く手間も思い出す手間もいらないため、脳を働かせていないわけです。

　鉛筆を手に持ち、頭を働かせながら誌面に文字や言葉を直接書き込み、記憶力と認知力をきたえましょう。

　毎日たった10～15分でいいのです。脳の健康を守ることを習慣づけましょう。

改訂版

元気脳練習帳

脳が活性化する大人の漢字脳ドリル

もくじ

本書「脳ドリル」で脳活性が実証されました …… 2

前頭前野をきたえる習慣が大切 …… 4

第1章 すらすら読みたい&書きたい常識漢字 …… 7

第2章 うっかり間違えやすい漢字 …… 39

第3章 植物・動物・自然にまつわる漢字 …… 71

第4章 教養がアップ！ 歴史に出てくる漢字 …… 93

第5章 知って得する！ 暮らしに役立つ漢字 …… 115

脳をきたえる「3つのポイント」 …… 135

- 解答はページをめくった後ろにあります。
- ドリルページは本を横にしてお使いください。

第1章

すらすら
読みたい&
書きたい
常識漢字

1日目 おさえておきたい基本の漢字1

月　日　正解数　／20問

●次の□にあてはまる漢字を書きましょう。

1 ご協力《きょうりょく》に□《かん》□《しゃ》します。

2 早起《はやお》きの□《しゅう》□《かん》。

3 □《い》□《じょう》気象《きしょう》が続《つづ》く。

4 親元《おやもと》から□《どく》□《りつ》する。

5 □《でん》□《とう》を守《まも》る。

6 的確《てきかく》な□《はん》□《だん》。

7 □《けい》□《けん》を積《つ》む。

8 芸術作品《げいじゅつさくひん》の□《び》□《ひょう》。

9 提案《ていあん》を□《けん》□《とう》する。

10 夢《ゆめ》を□《じつ》□《げん》する。

11 日程《にってい》を□《ちょう》□《せい》する。

12 □《ふく》□《そう》を整《ととの》える。

13 □《い》□《しょう》的《てき》な風景《ふうけい》。

14 新製品《しんせいひん》を□《せん》□《でん》する。

15 交通《こうつう》を□《き》□《せい》する。

16 □《み》□《ごと》なできばえの絵《え》。

17 □《かん》□《かく》を研《と》ぎすます。

18 □《つい》□《か》の注文《ちゅうもん》をする。

19 新《あたら》しい□《き》□《かい》を導入《どうにゅう》する。

20 銀行《ぎんこう》の□《ふ》□《つう》預金《よきん》。

121日目の答え

①しぶ　②うま　③から　④かんば（かぐわ）　⑤みずみず　⑥こう（かん）　⑦たんぱく　⑧まろ　⑨ぎょうしゅく　⑩はごた

⑪苦　⑫美味　⑬甘酸　⑭濃厚　⑮弾力　⑯滋味　⑰爽快　⑱軟　⑲口当　⑳繊細

2日目 すらすら読みたい基本の漢字1

月　日

正解数　／20問

次の漢字を読みましょう。

1 究極（　　　）

2 把握（　　　）

3 反射（　　　）

4 格好（　　　）

5 詳細（　　　）

6 待望（　　　）

7 細工（　　　）

8 開閉（　　　）

9 肯定（　　　）

10 要領（　　　）

11 規模（　　　）

12 利己的（　　　）

13 運河（　　　）

14 論破（　　　）

15 潮流（　　　）

16 対処（　　　）

17 文句（　　　）

18 家来（　　　）

19 水辺（　　　）

20 痛手（　　　）

122日目の答え

①あく　②ふきん　③かまあ　④きょうりきこ　⑤せいろう（せいろ）　⑥にこご　⑦こんろ　⑧ひつ　⑨せんべい　⑩コーヒー

⑪そば　⑫とそ　⑬ぎょしょう　⑭みりん　⑮まぶ　⑯ね　⑰む　⑱さら　⑲ウーロン（うーろん）ちゃ　⑳さい

3日目 自信をもって使いたい漢字1

月　日

正解数　／20問

●次の漢字を読みましょう。

1 貴重（　　　　）
2 納得（　　　　）
3 縦横（　　　　）
4 立秋（　　　　）
5 傑作（　　　　）
6 維持（　　　　）
7 趣旨（　　　　）
8 献立（　　　　）
9 推移（　　　　）
10 絶賛（　　　　）

●次の□にあてはまる漢字を書きましょう。

11 会員《かいいん》に□《とう》□《ろく》する。
12 □《り》□《えき》率《りつ》の高《たか》い商品《しょうひん》。
13 現地《げんち》で□《しゅ》□《ざい》をする。
14 先方《せんぽう》の□《つ》□《ごう》をたずねる。
15 □《き》□《せつ》の変《か》わり目《め》。
16 電車《でんしゃ》の中《なか》が□《こん》□《ざつ》する。
17 苦《くる》しい言《い》い□《わけ》。
18 競技会《きょうぎかい》に□《さん》□《か》する。
19 三部作《さんぶさく》が□《かん》□《けつ》する。
20 脳《のう》の□《けん》□《さ》をする。

1日目の答え

①感謝　②習慣　③異常　④独立　⑤伝統　⑥判断　⑦経験　⑧批評　⑨検討　⑩実現　⑪調整　⑫服装　⑬印象　⑭宣伝　⑮規制
⑯見事（美事）　⑰感覚　⑱追加　⑲機械（器械）　⑳普通

4日目 ちゃんと覚えておきたい漢字1

月　日

正解数　／19問

●次の漢字を読みましょう。

1 万全（　　）

2 渋滞（　　）

3 申告（　　）

4 執着（　　）

5 風情（　　）

6 凝視（　　）

7 欠如（　　）

8 素朴（　　）

9 帰省（　　）

10 体裁（　　）

●次の―線を正しく漢字に直したほうを選び、（　）に書きましょう。

11 限《かぎ》られたしげん。
資源　資原（　　）

12 華々《はなばな》しいじっせきを上《あ》げる。
実績　実積（　　）

13 しんちょうに事《こと》を運《はこ》ぶ。
真調　慎重（　　）

14 不正《ふせい》をてきはつする。
摘発　適発（　　）

15 相手《あいて》の意見《いけん》をひていする。
非定　否定（　　）

16 せんもん家《か》に意見《いけん》を聞《き》く。
専問　専門（　　）

17 彼女《かのじょ》の無実《むじつ》をかくしんする。
確心　確信（　　）

18 かんせつ照明《しょうめい》のやわらかい光《ひかり》。
間接　関接（　　）

19 二国間《にこくかん》でふんそうが起《お》きる。
粉争　紛争（　　）

2日目の答え

①きゅうきょく　②はあく　③はんしゃ　④かっこう　⑤しょうさい　⑥たいぼう　⑦さいく　⑧かいへい　⑨こうてい　⑩ようりょう
⑪きぼ　⑫りこてき　⑬うんが　⑭ろんぱ　⑮ちょうりゅう　⑯たいしょ　⑰もんく　⑱けらい　⑲みずべ（すいへん）　⑳いたで

5日目 すらすら書きたい基本の漢字1

月　日
正解数　／20問

●次の□にあてはまる漢字を書きましょう。

1 □《き》□《けん》な遊《あそ》び。

2 屋上《おくじょう》で天体《てんたい》を□《かん》□《そく》する。

3 □《やく》□《わり》を決《き》める。

4 野球《やきゅう》チームを□《けっ》□《せい》する。

5 入学《にゅうがく》試験《しけん》を□《じっ》□《し》する。

6 箱根《はこね》の□《せき》□《しょ》跡《あと》を訪《たず》ねる。

7 費用《ひよう》の一部《いちぶ》を□《ふ》□《たん》する。

8 創作《そうさく》□《い》□《よく》がわく。

9 □《てい》□《ねい》な説明《せつめい》をうける。

10 商品《しょうひん》の□《ね》□《だん》を確《たし》かめる。

11 残高《ざんだか》を□《かく》□《にん》する。

12 文章《ぶんしょう》の後半《こうはん》を□《しょう》□《りゃく》する。

13 □《そん》□《けい》する人《ひと》を挙《あ》げる。

14 データを□《ひ》□《かく》する。

15 仕事《しごと》の□《かん》□《きょう》を整《ととの》える。

16 知識《ちしき》を□《きゅう》□《しゅう》する。

17 □《てん》□《ねん》酵母《こうぼ》のパンを食《た》べる。

18 テレビの□《とう》□《ろん》番組《ばんぐみ》。

19 □《き》□《ねん》写真《しゃしん》をとる。

20 警備員《けいびいん》が□《じゅん》□《かい》する。

3日目の答え

①きちょう　②なっとく　③じゅうおう（たてよこ）　④りっしゅう　⑤けっさく　⑥いじ　⑦しゅし　⑧こんだて　⑨すいい
⑩ぜっさん　⑪登録　⑫利益　⑬取材　⑭都合　⑮季節　⑯混雑　⑰訳　⑱参加　⑲完結　⑳検査

6日目 小学校で習った漢字1

月　日
正解数　／20問

●次の漢字を読みましょう。

1 価値（　　）

2 著者（　　）

3 背後（　　）

4 幼子（　　）

5 反映（　　）

6 明朗（　　）

7 返済（　　）

8 採集（　　）

9 飼育（　　）

10 筋道（　　）

●次の□にあてはまる漢字を書きましょう。

11 □《き》□《たい》に応《こた》える。

12 □《しょう》□《らい》の希望《きぼう》。

13 のら犬《いぬ》を□《ほ》□《ご》する。

14 カーテンを□《あら》う。

15 □《かん》□《たん》にまとめる。

16 彫刻《ちょうこく》の□《てん》□《らん》会《かい》。

17 オーケストラを□《し》□《き》する。

18 □《そん》□《ざい》意義《いぎ》を考《かんが》える。

19 ダリアの□《きゅう》□《こん》を植《う》える。

20 □《ゆう》□《き》をもって立《た》ち向《む》かう。

4日目の答え

①ばんぜん ②じゅうたい ③しんこく ④しゅうちゃく（しゅうじゃく） ⑤ふぜい ⑥ぎょうし ⑦けつじょ ⑧そぼく ⑨きせい ⑩ていさい ⑪資源 ⑫実績 ⑬慎重 ⑭摘発 ⑮否定 ⑯専門 ⑰確信 ⑱間接 ⑲紛争

7日目 おさえておきたい四字熟語

月　日

正解数　／16問

●次の□にあてはまる漢字を書きましょう。

1 以心《いしん》□《でん》心《しん》

言葉に表さなくても、考えていることがお互いの心から心につたわること。

2 □《き》想天外《そうてんがい》

普通の人が思いもつかない考え。

3 □《あく》戦《せん》□《く》闘《とう》

激しくくるしみながら戦うこと。

4 □《ゆう》□《ゆう》自適《じてき》

世間のわずらわしさから離れ、心を穏やかに過ごすこと。

5 □《そう》□《い》工夫《くふう》

独自なアイデアを出し、新しい方法を考えること。

6 □《いん》果応《がおう》□《ほう》

過去や前世の行いの善悪に応じて、むくいがあること。

7 暗中《あんちゅう》□《も》□《さく》

手掛かりがないまま、いろいろなことを試してみること。

8 日《にっ》□《しん》月《げっ》□《ぽ》

月日とともに絶え間なく、しんぽすること。

●次の□にあてはまる漢数字を書きましょう。

9 □心同体《しんどうたい》

異なったものがひとつの心、同じ体のように強く結びつくこと。

10 □載一遇《ざいいちぐう》

せん年に一度しかないような、めったにないこと。

11 □転《てん》□倒《とう》

苦しみのあまり、あちらこちらに転がること。

12 □人《にん》□色《いろ》

考えや好みは、人それぞれ違うということ。

13 □石《せき》□鳥《ちょう》

ひとつのことをして、同時にふたつの利益を得られること。

14 □方美人《ぽうびじん》

誰からも好かれるように要領よく付き合う人。

15 □発《ぱつ》□中《ちゅう》

予想や計画が必ず当たること。

16 □束《そく》□文《もん》

数量が多くても、とても安い値段しかつかないもの。

5日目の答え

①危険　②観測　③役割　④結成　⑤実施　⑥関所　⑦負担　⑧意欲　⑨丁寧　⑩値段　⑪確認　⑫省略　⑬尊敬　⑭比較　⑮環境　⑯吸収　⑰天然　⑱討論　⑲記念　⑳巡回（巡廻）

8日目 すらすら書きたい三字熟語

月　日
正解数　／20問

● 次の□にあてはまる漢字を書きましょう。

1 □《こう》奇《き》心《しん》

2 □《じょう》用《よう》車《しゃ》

3 積《せっ》□《きょく》性《せい》

4 不《ふ》□《か》欠《けつ》

5 大《だい》□《じょう》□《ぶ》

6 □《ぐ》□《たい》化《か》

7 □《とり》□《ひき》先《さき》

8 □《こう》□《む》員《いん》

9 □《せん》挙《きょ》□《けん》

10 有《ゆう》□《しき》者《しゃ》

11 □《かん》理《り》□《しょく》

12 □《こう》□《りつ》的《てき》

13 □《がい》路《ろ》□《じゅ》

14 □《てい》□《りゅう》所《じょ》

15 □《じ》□《び》科《か》

16 真《ま》□《じ》日《め》

17 □《か》計《けい》□《ぼ》

18 旅《りょ》□《かく》機《き》

19 □《い》□《しょく》住《じゅう》

20 □《か》半《はん》数《すう》

6日目の答え

①かち　②ちょしゃ　③はいご　④おさなご　⑤はんえい　⑥めいろう　⑦へんさい　⑧さいしゅう　⑨しいく　⑩すじみち
⑪期待　⑫将来　⑬保護　⑭洗　⑮簡単　⑯展覧　⑰指揮　⑱存在　⑲球根　⑳勇気

9日目 ニュースや新聞でよく見る漢字1

月　日

正解数　／20問

●次の漢字を読みましょう。

1 提唱（　　　）

2 傾向（　　　）

3 承認（　　　）

4 審議（　　　）

5 敗訴（　　　）

6 連携（　　　）

7 事情（　　　）

8 合意（　　　）

9 脚光（　　　）

10 絶滅（　　　）

11 決済（　　　）

12 罰則（　　　）

13 国益（　　　）

14 授受（　　　）

15 就任（　　　）

16 折衝（　　　）

17 憩（　　　）い

18 担（　　　）う

19 見据（　　　）える

20 軒並（　　　）み

7日目の答え

①伝　②奇　③悪・苦　④悠悠　⑤創意　⑥因・報　⑦模索（摸索）　⑧進・歩　⑨一　⑩千　⑪七・八　⑫十・十　⑬一・二　⑭八　⑮百・百　⑯二・三

10日目 書き分けたい同音異字・同音異義語1

月　日
正解数　／19問

● 次の□にあてはまる漢字を書きましょう。

1 正月《しょうがつ》□《い》□《がい》は無休《むきゅう》です。

□《い》□《がい》な反応《はんのう》がきた。

2 ご□《こう》□《い》に感謝《かんしゃ》します。

□《こう》□《い》的《てき》な反応《はんのう》が多《おお》い。

3 □《たい》□《しょう》的《てき》な性格《せいかく》の姉妹《しまい》。

左右《さゆう》□《たい》□《しょう》の図形《ずけい》。

未成年《みせいねん》□《たい》□《しょう》の企画《きかく》。

4 事実《じじつ》だと□《か》□《てい》する。

大学《だいがく》の一般教養《いっぱんきょうよう》□《か》□《てい》。

結果《けっか》より□《か》□《てい》が大切《たいせつ》だ。

● 次のカタカナにあてはまる漢字を選び、（　）に書きましょう。

5 ケン設的《せってき》な意見《いけん》を述《の》べる。
健　建　（　　　）

6 見《けん》ブンを広《ひろ》める。
文　聞　（　　　）

7 木工品《もっこうひん》をセイ作《さく》する。
制　製　（　　　）

8 世界中《せかいじゅう》にヘン在《ざい》する伝説《でんせつ》。
遍　偏　（　　　）

9 試合《しあい》が再《さい》カイする。
会　開　（　　　）

10 党《とう》の分裂《ぶんれつ》は必《ひっ》シだ。
死　至　（　　　）

11 生命保《せいめいほ》ケンに加入《かにゅう》する。
健　権　険　（　　　）

12 人跡未《じんせきみ》トウの地《ち》。
到　倒　踏　（　　　）

13 仕事《しごと》の適《てき》セイ検査《けんさ》。
正　性　（　　　）

8日目の答え

①好　②乗　③極　④可　⑤丈夫　⑥具体　⑦取引　⑧公務　⑨選・権　⑩識　⑪管・職　⑫効率　⑬街・樹　⑭停留　⑮耳鼻　⑯面　⑰家・簿　⑱客　⑲衣食　⑳過

11日目 おさえておきたい基本の漢字2

月　日

正解数　　／20問

●次の□にあてはまる漢字を書きましょう。

1 海《うみ》が眺《なが》められる□《へ》□《や》。

2 □《け》□《さ》は雨《あめ》が降《ふ》っていた。

3 午《ご》後《ご》の□《よ》□《てい》を確《たし》かめる。

4 注文数《ちゅうもんすう》を□《へん》□《こう》する。

5 仲間《なかま》を□《せっ》□《とく》する。

6 明日《あす》の□《じゅん》□《び》をする。

7 自《じ》己《こ》□《しゅ》□《ちょう》が強《つよ》い人《ひと》。

8 □《れい》□《せい》に対処《たいしょ》する。

9 家具《かぐ》の□《はい》□《ち》を考《かんが》える。

10 手《て》を□《せい》□《けつ》に保《たも》つ。

11 駅《えき》と家《いえ》の間《あいだ》を□《おう》□《ふく》する。

12 賃《ちん》上《あ》げを□《よう》□《きゅう》する。

13 テレビドラマを□《ろく》□《が》する。

14 □《し》□《りょく》を検査《けんさ》する。

15 □《ち》□《いき》に根《ね》ざした活動《かつどう》。

16 本《ほん》を□《き》□《ふ》する。

17 □《こう》□《そう》を練《ね》る。

18 相手《あいて》の□《じ》□《じょう》を考《かんが》える。

19 □《じゅう》□《よう》参考人《さんこうにん》を取《と》り調《しら》べる。

20 □《いん》□《しゅ》は適量《てきりょう》を心《こころ》がける。

9日目の答え

①ていしょう　②けいこう　③しょうにん　④しんぎ　⑤はいそ　⑥れんけい　⑦じじょう　⑧ごうい　⑨きゃっこう　⑩ぜつめつ
⑪けっさい　⑫ばっそく　⑬こくえき　⑭じゅじゅ　⑮しゅうにん　⑯せっしょう　⑰いこ　⑱にな　⑲みす　⑳のきな

12日目

すらすら書きたい動詞1

月　日　正解数　／20問

●次の――線を漢字とひらがなで書きましょう。

1 鳥《とり》が翼《つばさ》を広《ひろ》げて空《そら》をとぶ。（　　　）

2 風雨《ふうう》をふせぐ。（　　　）

3 足元《あしもと》を明《あか》るくてらす。（　　　）

4 順位《じゅんい》をきそう。（　　　）

5 一日中《いちにちじゅう》あそぶ。（　　　）

6 好《この》みがことなる。（　　　）

7 机《つくえ》をはこぶ。（　　　）

8 シャツがよごれる。（　　　）

9 昼《ひる》までねむる。（　　　）

10 手紙《てがみ》がとどく。（　　　）

11 返事《へんじ》にこまる。（　　　）

12 柱《はしら》が屋根《やね》をささえる。（　　　）

13 三《みっ》つからえらぶ。（　　　）

14 友《とも》と駅《えき》でわかれる。（　　　）

15 父《ちち》が青筋《あおすじ》を立《た》てておこる。（　　　）

16 畑《はたけ》をたがやす。（　　　）

17 手間《てま》をはぶく。（　　　）

18 木《き》の枝《えだ》をおる。（　　　）

19 城《しろ》を敵兵《てきへい》がかこむ。（　　　）

20 約束《やくそく》をはたす。（　　　）

10日目の答え

①以外・意外　②厚意・好意　③対照・対称・対象　④仮定・課程・過程　⑤建　⑥聞　⑦製　⑧遍　⑨開　⑩至　⑪険　⑫踏　⑬性

13日目 すらすら書きたい同訓異字

月　日　正解数　／21問

●次の―線を漢字と送りがなで書きましょう。

1 あたたかい日《ひ》。（　　　）

あたたかいおもてなし。（　　　）

2 味噌汁《みそしる》がさめる。（　　　）

毎朝五時《まいあさごじ》に目《め》がさめる。（　　　）

3 史跡《しせき》をたずねる。（　　　）

志望動機《しぼうどうき》をたずねる。（　　　）

4 役所《やくしょ》につとめる。（　　　）

議長《ぎちょう》をつとめる。（　　　）

間《ま》に合《あ》うようにつとめる。（　　　）

5 喜《よろこ》びを全身《ぜんしん》であらわす。（　　　）

自伝《じでん》をあらわす。（　　　）

正体《しょうたい》をあらわす。（　　　）

●次の―線にあてはまる言葉を選び、（　）に書きましょう。

6 海《うみ》にのぞむ部屋《へや》を予約《よやく》する。

望む　臨む　（　　　）

7 墓前《ぼぜん》に花《はな》をそなえる。

備える　供える　（　　　）

8 決勝戦《けっしょうせん》でやぶれる。

敗れる　破れる　（　　　）

9 肩《かた》まで髪《かみ》をのばす。

延ばす　伸ばす　（　　　）

10 身《み》のまわりを片《かた》づける。

周り　回り　（　　　）

11 砂糖《さとう》を水《みず》にとく。

溶く　解く　（　　　）

12 祖父《そふ》の遺志《いし》をつぐ。

接ぐ　継ぐ　次ぐ　（　　　）

13 携帯電話《けいたいでんわ》をさがす。

捜す　探す　（　　　）

14 彼《かれ》を次期会長《じきかいちょう》におす。

推す　押す　（　　　）

11日目の答え

①部屋　②今朝　③予定　④変更　⑤説得　⑥準備　⑦主張　⑧冷静　⑨配置　⑩清潔　⑪往復　⑫要求　⑬録画　⑭視力　⑮地域　⑯寄付（寄附）　⑰構想　⑱事情　⑲重要　⑳飲酒

14日目 いつも使っている形容詞

月　日　正解数　／20問

● 次の――線を漢字と送りがなで書きましょう。

1 目《め》のこまかい網《あみ》を仕《し》掛《か》ける。（　　）

2 するどい目《め》つきの人物《じんぶつ》。（　　）

3 あつい百科事典《ひゃっかじてん》。（　　）

4 あぶない橋《はし》を渡《わた》る。（　　）

5 にぶい音《おと》がする。（　　）

6 人生《じんせい》をむなしいと感《かん》じる。（　　）

7 きびしい指導《しどう》を受《う》ける。（　　）

8 つめたい水《みず》を飲《の》む。（　　）

9 まずしいけれど楽《たの》しい我《わ》が家《や》。（　　）

10 けわしい山道《やまみち》を行《い》く。（　　）

11 こころよい風《かぜ》が吹《ふ》く。（　　）

12 わかい人《ひと》の多《おお》い街《まち》。（　　）

13 いそがしい毎日《まいにち》。（　　）

14 くらい道《みち》を進《すす》む。（　　）

15 すがすがしい陽気《ようき》。（　　）

16 いちじるしい進歩《しんぽ》を遂《と》げる。（　　）

17 年《とし》の割《わり》におさない。（　　）

18 めずらしい苗字《みょうじ》。（　　）

19 やさしい男性《だんせい》と結婚《けっこん》したい。（　　）

20 むずかしい漢字《かんじ》を覚《おぼ》える。（　　）

12日目の答え

①飛ぶ　②防ぐ　③照らす　④競う　⑤遊ぶ　⑥異なる　⑦運ぶ　⑧汚れる　⑨眠る　⑩届く　⑪困る　⑫支える　⑬選ぶ（択ぶ）
⑭別れる　⑮怒る　⑯耕す　⑰省く　⑱折る　⑲囲む　⑳果たす

15日目 すらすら読みたい基本の漢字2

月　日　正解数　／20問

●次の漢字を読みましょう。

1 顕著（　　　）
2 横着（　　　）
3 克服（　　　）
4 抹消（　　　）
5 会釈（　　　）
6 穏当（　　　）
7 影響（　　　）
8 破片（　　　）
9 持久力（　　　）
10 解除（　　　）

11 魅力（　　　）
12 要旨（　　　）
13 苦心（　　　）
14 様子（　　　）
15 素顔（　　　）
16 収穫（　　　）
17 散策（　　　）
18 依然（　　　）
19 放棄（　　　）
20 竹刀（　　　）

13日目の答え

①暖かい・温かい　②冷める・覚める　③訪ねる・尋ねる（訊ねる）　④勤める・務める・努める　⑤表す・著す・現す　⑥臨む
⑦供える　⑧敗れる　⑨伸ばす　⑩回り　⑪溶く　⑫継ぐ　⑬探す　⑭推す

16日目 いつも使っている「副詞」など

月　日　正解数　／20問

●次の漢字を読みましょう。

1 今朝《けさ》は殊に暖《あたた》かい。（　　）

2 自ら立候補《りっこうほ》する。（　　）

3 今週《こんしゅう》のノルマは既に終《お》えた。（　　）

4 最近《さいきん》、総じて野菜《やさい》が高《たか》い。（　　）

5 恐らく明日《あした》は晴《は》れるだろう。（　　）

6 暫く留守《るす》にします。（　　）

7 徐々に回復《かいふく》する。（　　）

8 度々本屋《ほんや》に行《い》く。（　　）

9 概ね意見《いけん》がまとまった。（　　）

10 これは極めて便利《べんり》な道具《どうぐ》だ。（　　）

●次の□にあてはまる漢字を書きましょう。

11 □《じつ》に美《うつく》しい景色《けしき》だ。

12 □《まった》く知《し》らなかった。

13 今日《きょう》は□《すこ》し疲《つか》れた。

14 □《ひ》□《じょう》に多《おお》くの雨《あめ》が降《ふ》った。

15 □《い》□《ぜん》お会《あ》いしましたか。

16 □《さっ》□《そく》連絡《れんらく》をとる。

17 □《とき》□《どき》様子《ようす》を見《み》に行《い》く。

18 彼《かれ》はクラスで□《もっと》も背《せ》が高《たか》い。

19 明日《あした》、□《かなら》ずうかがいます。

20 □《ひっ》□《し》に練習《れんしゅう》する。

14日目の答え

①細かい　②鋭い　③厚い　④危ない　⑤鈍い　⑥空しい（虚しい）　⑦厳しい　⑧冷たい　⑨貧しい　⑩険しい　⑪快い　⑫若い　⑬忙しい　⑭暗い　⑮清清しい　⑯著しい　⑰幼い　⑱珍しい　⑲優しい　⑳難しい

書き分けたい同音異字・同音異義語2

月　日

正解数　／19問

●□にあてはまる漢字を書きましょう。

1 社会的《しゃかいてき》に□《い》□《ぎ》のある仕事《しごと》。

命令《めいれい》に□《い》□《ぎ》を唱《とな》える。

2 増員《ぞういん》を□《よう》□《せい》する。

職人《しょくにん》を□《よう》□《せい》する。

3 □《い》□《し》を貫《つらぬ》く。

明確《めいかく》に□《い》□《し》表示《ひょうじ》をする。

故人《こじん》の□《い》□《し》を尊重《そんちょう》したい。

4 提案《ていあん》の内容《ないよう》を□《けん》□《とう》する。

まるで□《けん》□《とう》がつかない。

対戦相手《たいせんあいて》が□《けん》□《とう》した。

●次の文から間違っている漢字を一つ探し、正しましょう。

5 小型《こがた》マイクを内臓《ないぞう》した機器《きき》。

誤（　　）→正（　　）

6 野性《やせい》の動物《どうぶつ》を保護《ほご》する。

誤（　　）→正（　　）

7 史実《しじつ》と符号《ふごう》する証言《しょうげん》を得《え》る。

誤（　　）→正（　　）

8 文章《ぶんしょう》の間違《まちが》いを指適《してき》する。

誤（　　）→正（　　）

9 送別会《そうべつかい》の参加費《さんかひ》を徴集《ちょうしゅう》する。

誤（　　）→正（　　）

10 社長《しゃちょう》の命令《めいれい》を口答《こうとう》で伝達《でんたつ》する。

誤（　　）→正（　　）

11 改革《かいかく》に着手《ちゃくしゅ》するのは時機《じき》尚早《しょうそう》だ。

誤（　　）→正（　　）

12 厳《きび》しい生存競走《せいぞんきょうそう》に打《う》ち勝《か》つ。

誤（　　）→正（　　）

13 気性《きしょう》予報士《よほうし》の試験《しけん》に合格《ごうかく》する。

誤（　　）→正（　　）

15日目の答え

①けんちょ　②おうちゃく　③こくふく　④まっしょう　⑤えしゃく　⑥おんとう　⑦えいきょう　⑧はへん　⑨じきゅうりょく
⑩かいじょ　⑪みりょく　⑫ようし　⑬くしん　⑭ようす　⑮すがお　⑯しゅうかく　⑰さんさく　⑱いぜん　⑲ほうき　⑳しない

18日目 すらすら読みたい三字熟語

月　日

正解数　／20問

●次の漢字を読みましょう。

1 雰囲気（　　）
2 有頂天（　　）
3 高架下（　　）
4 一手間（　　）
5 野放図（　　）
6 突拍子（　　）
7 懇親会（　　）
8 年俸制（　　）
9 八百長（　　）
10 一目散（　　）

11 路地裏（　　）
12 五月雨（　　）
13 有意義（　　）
14 一昼夜（　　）
15 添加物（　　）
16 三味線（　　）
17 居心地（　　）
18 世間体（　　）
19 大雑把（　　）
20 雪月花（　　）

16日目の答え

①こと　②みずか　③すで　④そう　⑤おそ　⑥しばら　⑦じょじょ　⑧たびたび　⑨おおむ　⑩きわ　⑪実　⑫全　⑬少　⑭非常
⑮以前　⑯早速　⑰時々　⑱最　⑲必　⑳必死

19日目 よく聞くことわざ・慣用句1

月　日

正解数　／15問

● 次の□にあてはまる漢字を書きましょう。

1 言《い》わぬが□《はな》

はっきり言わないほうが差し障りがないこと。

2 時《とき》は□《かね》なり

時間は貴重だから、無駄に使ってはいけない。

3 住《す》めば□《みやこ》

住んでみれば、不便な所でも楽しく暮らせること。

4 □《わた》りに船《ふね》

困っているときに、好都合な条件を出されること。

5 □《や》け石《いし》に水《みず》

努力や援助がわずかでは、効果が出ないこと。

6 □《なら》うより□《な》れよ

教えてもらうより、実際に経験するほうがすぐに覚えること。

7 □《き》を見《み》て□《もり》を見《み》ず

細かいことばかり気にして、全体を把握していないこと。

8 □《しゅん》眠《みん》暁《あかつき》を□《おぼ》えず

はるの夜は寝心地がいいので、朝になったことに気づかず、寝過ごしてしまうこと。

● 次の□にあてはまる体の一部を表す漢字を、語群から選んで書きましょう。

9 □から火《ひ》が出《で》る

恥ずかしくてかおが真っ赤になる。

10 □の虫《むし》がおさまらない

はら立たしくて我慢できない。

11 あいた□がふさがらない

あきれかえること。

12 二《に》の□を踏《ふ》む

どうしようかと迷う。

13 □身《み》が狭《せま》い

世間に対して申し訳なく、恥ずかしく思うこと。

14 □の上《うえ》のたんこぶ

め障りだったり、じゃまだったりすること、もの。

15 □によりをかける

自慢のうで前を発揮しようと張り切ること。

語群

〔目《め》　口《くち》　顔《かお》　肩《かた》　腕《うで》　足《あし》　腹《はら》〕

17日目の答え

①意義・異議　②要請・養成　③意志・意思・遺志　④検討・見当・健闘　⑤臓→蔵　⑥性→生　⑦号→合　⑧適→摘　⑨集→収
⑩答→頭　⑪機→期　⑫走→争　⑬性→象

20日目 小学校で習った漢字2

月　日　正解数　／20問

●次の□にあてはまる漢字を書きましょう。

1 漢和《かんわ》□《じ》□《てん》を引《ひ》く。

2 忠告《ちゅうこく》を□《む》□《し》する。

3 □《よう》□《もう》のセーター。

4 □《う》□《ちゅう》旅行《りょこう》を夢《ゆめ》みる。

5 欧米諸国《おうべいしょこく》との□《ぼう》□《えき》。

6 □《ねん》□《がん》がかなう。

7 青《あお》みを□《お》びた目《め》。

8 理科《りか》の□《じっ》□《けん》をする。

9 現在《げんざい》・□《か》□《こ》・未来《みらい》。

10 □《けん》□《きゅう》に打《う》ちこむ。

●次の漢字の読みを二つずつ書きましょう。

11 初日（　　）（　　）

12 市場（　　）（　　）

13 風車（　　）（　　）

14 分別（　　）（　　）

15 背筋（　　）（　　）

16 音色（　　）（　　）

17 人気（　　）（　　）

18 今日（　　）（　　）

19 色紙（　　）（　　）

20 上手（　　）（　　）

18日目の答え

①ふんいき　②うちょうてん　③こうかした　④ひとてま　⑤のほうず　⑥とっぴょうし　⑦こんしんかい　⑧ねんぽうせい　⑨やおちょう　⑩いちもくさん　⑪ろじうら　⑫さみだれ（さつきあめ）　⑬ゆういぎ　⑭いっちゅうや　⑮てんかぶつ　⑯しゃみせん（さみせん）　⑰いごこち　⑱せけんてい　⑲おおざっぱ　⑳せつげっか（せつげつか）

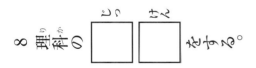

21日目 自信をもって使いたい漢字2

月　日
正解数　／20問

●次の漢字を読みましょう。

1 精進（　　　）
2 勇敢（　　　）
3 真偽（　　　）
4 贈呈（　　　）
5 由来（　　　）
6 車窓（　　　）
7 漠然（　　　）
8 是正（　　　）
9 突飛（　　　）
10 匿名（　　　）

●次の□にあてはまる漢字を書きましょう。

11 販路《はんろ》の□《かく》□《だい》をめざす。
12 □《ふ》□《べん》な場所《ばしょ》にある店《みせ》。
13 □《けん》□《こう》的《てき》な生活《せいかつ》を送《おく》る。
14 □《すい》□《ちょく》に線《せん》を引《ひ》く。
15 春《はる》の□《け》□《はい》を感《かん》じる。
16 栄養《えいよう》を□《ほ》□《きゅう》する。
17 大金《たいきん》を□《しょ》□《じ》する。
18 心《こころ》から□《しん》□《らい》できる友人《ゆうじん》。
19 たんすに□《しゅう》□《のう》する。
20 □《ゆ》□《ぶね》につかる。

19日目の答え

①花　②金　③都　④渡　⑤焼　⑥習・慣　⑦木・森　⑧春・覚　⑨顔　⑩腹　⑪口　⑫足　⑬肩　⑭目　⑮腕

22日目 すらすら書きたい基本の漢字2

月　日

正解数　／20問

● 次の□にあてはまる漢字を書きましょう。

1 □《おん》□《せん》巡《めぐ》りを楽《たの》しむ。

2 □《やく》□《そく》を守《まも》る。

3 □《じょう》□《ほう》を集《あつ》める。

4 □《こん》□《なん》を乗《の》り越《こ》える。

5 □《そん》□《とく》抜《ぬ》きの行動《こうどう》。

6 不用品《ふようひん》を□《しょ》□《ぶん》する。

7 孫《まご》の□《たん》□《じょう》日《び》を祝《いわ》う。

8 □《けつ》□《ろん》から先《さき》に述《の》べる。

9 □《かい》□《さつ》口《ぐち》で待《ま》ち合《あ》わせる。

10 それは目《め》の□《さっ》□《かく》だ。

11 □《おん》□《こう》な性格《せいかく》。

12 電化《でんか》□《せい》□《ひん》を扱《あつか》う店《みせ》。

13 避難《ひなん》□《くん》□《れん》に参加《さんか》する。

14 □《ぶん》□《みゃく》を読《よ》み取《と》る。

15 事件《じけん》の□《はい》□《けい》を探《さぐ》る。

16 □《しん》□《ぶん》を読《よ》む。

17 資源《しげん》が□《ほう》□《ふ》な国《くに》。

18 彼《かれ》は□《せき》□《にん》感《かん》が強《つよ》い。

19 先人《せんじん》の□《こう》□《せき》を称《たた》える。

20 □《さ》□《ぎょう》が順調《じゅんちょう》に進《すす》む。

20日目の答え

①辞典（字典）　②無視　③羊毛　④宇宙　⑤貿易　⑥念願　⑦帯　⑧実験　⑨過去　⑩研究　⑪しょにち・はつひ（しょじつ）　⑫しじょう・いちば　⑬ふうしゃ・かざぐるま　⑭ぶんべつ・ふんべつ　⑮はいきん・せすじ　⑯おんしょく・ねいろ　⑰にんき・ひとけ（じんき・ひとげ）　⑱こんにち・きょう　⑲しきし・いろがみ　⑳じょうず・かみて（うわて）

23日目 すらすら書きたい動詞2

月　日　正解数　／20問

● 次の——線を漢字とひらがなで書きましょう。

1 山々《やまやま》がつらなる。（　　）

2 後輩《こうはい》を食事《しょくじ》にさそう。（　　）

3 依頼《いらい》をことわる。（　　）

4 仕事《しごと》をたのむ。（　　）

5 実力《じつりょく》をみとめる。（　　）

6 印鑑《いんかん》をおす。（　　）

7 たばこをすう。（　　）

8 庭《にわ》の柿《かき》の実《み》がうれる。（　　）

9 日光《にっこう》をあびる。（　　）

10 銀行《ぎんこう》に金《かね》をあずける。（　　）

11 ギターをかなでる。（　　）

12 言葉《ことば》をおぎなう。（　　）

13 髪《かみ》を後《うし》ろでゆう。（　　）

14 矢《や》が的《まと》をはずれる。（　　）

15 会社《かいしゃ》にもどる。（　　）

16 ポスターをする。（　　）

17 客人《きゃくじん》をむかえる。（　　）

18 お皿《さら》をならべる。（　　）

19 茶碗《ちゃわん》がかける。（　　）

20 人《ひと》よりすぐれる。（　　）

21日目の答え

①しょうじん　②ゆうかん　③しんぎ　④ぞうてい　⑤ゆらい　⑥しゃそう　⑦ばくぜん　⑧ぜせい　⑨とっぴ　⑩とくめい　⑪拡大　⑫不便　⑬健康　⑭垂直　⑮気配　⑯補給　⑰所持　⑱信頼　⑲収納　⑳湯船（湯槽）

24日目 会話で使っている四字熟語

月　日

正解数　／16問

●次の□にあてはまる漢字を書きましょう。

1 一部《いちぶ》□《し》終《じゅう》
はじめから終わりまで。物事の詳しい事情の全て。

2 □《きゅう》態《たい》依《い》然《ぜん》
昔のままで、まったく進歩や発展がない様子。

3 □《ゆ》断《だん》□《たい》敵《てき》
ゆだんは失敗の原因になり、何よりもこわい敵だ、ということ。

4 理《り》□《ろ》□《せい》然《ぜん》
物事や話の筋道がきちんと通っていること。

5 □《ぎ》心暗《しんあん》□《き》
うたがいだすと、何でもないことまでうたがわしくなってくること。

6 才色《さいしょく》□《けん》□《び》
すぐれた才能と、美しい顔かたちの両方をそなえていること。

7 □《ひょう》□《り》一体《いったい》
二つのことが密接で切り離せないこと。

8 □《りん》□《き》応変《おうへん》
その場の状況に応じて、適切に対処すること。

●二つの□に同じ漢字を入れて、四字熟語を完成させましょう。

9 □材《ざい》□所《しょ》
人をその才能にてきした地位や任務につけること。

10 □信《しん》□疑《ぎ》
なかば信じ、なかば疑うこと。

11 □眠《みん》□休《きゅう》
まったく眠ったり休んだりしないこと。

12 □存《そん》□栄《えい》
自他ともに生存し、繁栄すること。

13 右《う》□左《さ》□
秩序なく、あっちに行ったりこっちに行ったりすること。

14 □業《ごう》□得《とく》
じぶんが犯した罪の報いをじぶんじしんで受けること。

15 □利《り》□欲《よく》
自分の利益や欲望。また、それをむさぼること。

16 □暴《ぼう》□棄《き》
じぶんを大事にせず、やけになること。

22日目の答え

①温泉　②約束　③情報　④困難　⑤損得　⑥処分　⑦誕生　⑧結論　⑨改札　⑩錯覚　⑪温厚　⑫製品　⑬訓練　⑭文脈　⑮背景　⑯新聞　⑰豊富　⑱責任　⑲功績　⑳作業

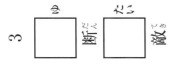

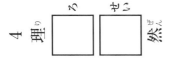

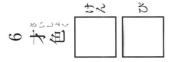

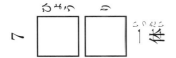

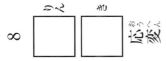

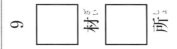

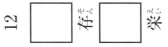

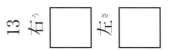

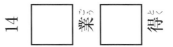

25日目 ニュースや新聞でよく見る漢字2

月　日

正解数　／20問

●次の漢字を読みましょう。

1 抵触（　　）

2 廃案（　　）

3 批准（　　）

4 連覇（　　）

5 詐称（　　）

6 衝突（　　）

7 辛勝（　　）

8 復興（　　）

9 稼働（　　）

10 摘発（　　）

●次の□にあてはまる漢字を書きましょう。

11 弱者《じゃくしゃ》を□《し》□《えん》する。

12 諸国《しょこく》を□《ほう》□《もん》する。

13 □《こん》□《きょ》の弱《よわ》いデータ。

14 □《げん》□《じょう》を把握《はあく》する。

15 安全《あんぜん》□《ほ》□《しょう》関連《かんれん》の法案《ほうあん》。

16 収入《しゅうにゅう》の□《かく》□《さ》が広《ひろ》がる。

17 □《こう》□《しょう》が決裂《けつれつ》する。

18 発言《はつげん》を□《てっ》□《かい》する。

19 各国《かっこく》の□《しゅ》□《のう》が集《あつ》まる。

20 参院選《さんいんせん》に□《しゅつ》□《ば》する。

23日目の答え

①連なる　②誘う　③断る　④頼む　⑤認める　⑥押す　⑦吸う　⑧熟れる　⑨浴びる　⑩預ける　⑪奏でる　⑫補う　⑬結う　⑭外れる　⑮戻る　⑯刷る（摺る）　⑰迎える　⑱並べる　⑲欠ける　⑳優れる（勝れる）

26日目 ちゃんと覚えておきたい漢字2

月　日

正解数　／19問

●次の漢字を読みましょう。

1 興奮（　　）

2 騒音（　　）

3 意図（　　）

4 脳裏（　　）

5 並行（　　）

6 分析（　　）

7 妥当（　　）

8 形相（　　）

9 均衡（　　）

10 膨大（　　）

●次の―線を正しく漢字に直したほうを選び、（　）に書きましょう。

11 写真《しゃしん》をしゅくしょうする。
縮少　縮小（　　）

12 人口《じんこう》がげんしょうする。
減少　減小（　　）

13 世界《せかい》いさんを訪《たず》ね歩《ある》く。
遺産　遺産（　　）

14 そろそろしおどきだ。
塩時　潮時（　　）

15 部下《ぶか》のていあんを検討《けんとう》する。
提案　堤案（　　）

16 ビルをかんりする。
官理　管理（　　）

17 海外《かいがい》へとこうする。
渡航　渡行（　　）

18 品物《しなもの》をばいばいする。
買売　売買（　　）

19 切手《きって》をしゅうしゅうする。
収集　集収（　　）

24日目の答え

①始　②旧　③油・大　④路整　⑤疑・鬼　⑥兼備　⑦表裏　⑧臨機　⑨適　⑩半　⑪不　⑫共　⑬往　⑭自　⑮私　⑯自

27日目 書き分けたい同訓異字

月　日　正解数　／27問

●次の―線を漢字と送りがなで書きましょう。

1 百人《ひゃくにん》をこえる応募《おうぼ》があった。（　　）

峠《とうげ》をこえると山荘《さんそう》がある。（　　）

2 クルーズ船《せん》にのる。（　　）

新聞《しんぶん》に名前《なまえ》がのる。（　　）

3 シャツにしみがつく。（　　）

福祉関係《ふくしかんけい》の仕事《しごと》につく。（　　）

列車《れっしゃ》がホームにつく。（　　）

4 朝日《あさひ》がのぼる。（　　）

エベレストにのぼる。（　　）

頭《あたま》に血《ち》がのぼる。（　　）

5 地方税《ちほうぜい》をおさめる。（　　）

国《くに》をおさめる。（　　）

哲学《てつがく》をおさめる。（　　）

成功《せいこう》をおさめる。（　　）

6 家族写真《かぞくしゃしん》をとる。（　　）

浅瀬《あさせ》で魚《さかな》をとる。（　　）

映画館《えいがかん》で席《せき》をとる。（　　）

山菜《さんさい》をとる。（　　）

●次の文から間違っている漢字を一つ探し、正しましょう。

7 夜《よ》が開《あ》けたら車《くるま》で出発《しゅっぱつ》しよう。

誤（　　）→正（　　）

8 壊《こわ》れた時計《とけい》を治《なお》す。

誤（　　）→正（　　）

9 例年《れいねん》より早《はや》く初雪《はつゆき》が振《ふ》る。

誤（　　）→正（　　）

10 伯母《おば》はピアノを引《ひ》くのが趣味《しゅみ》だ。

誤（　　）→正（　　）

11 夫婦《ふうふ》で毎朝血圧《まいあさけつあつ》を図《はか》る。

誤（　　）→正（　　）

12 料理《りょうり》の味《あじ》を整《ととの》える。

誤（　　）→正（　　）

13 知人《ちじん》から進《すす》められて運動《うんどう》する。

誤（　　）→正（　　）

14 具体例《ぐたいれい》を揚《あ》げて説明《せつめい》する。

誤（　　）→正（　　）

15 努力《どりょく》の後《あと》が見《み》える作品《さくひん》。

誤（　　）→正（　　）

25日目の答え

①ていしょく　②はいあん　③ひじゅん　④れんぱ　⑤さしょう　⑥しょうとつ　⑦しんしょう　⑧ふっこう　⑨かどう　⑩てきはつ

⑪支援　⑫訪問　⑬根拠　⑭現状　⑮保障　⑯格差　⑰交渉　⑱撤回　⑲首脳　⑳出馬

28日目 すらすら書きたい基本の漢字3

月　日

正解数　／20問

●次の□にあてはまる漢字を書きましょう。

1 □《い》□《ろん》を唱《とな》える。

2 □《おん》□《だん》な気《き》候《こう》。

3 □《にく》□《がん》で見《み》る。

4 三回戦《さんかいせん》で□《はい》□《たい》する。

5 □《し》□《きゅう》ご連絡《れんらく》ください。

6 □《く》□《ふう》を凝《こ》らす。

7 □《のう》□《ぜい》の義《ぎ》務《む》を果《は》たす。

8 通商《つうしょう》□《じょう》□《やく》を結《むす》ぶ。

9 新築《しんちく》の家《いえ》に□《にゅう》□《きょ》する。

10 ここは立《た》ち入《い》り□《きん》□《し》だ。

11 □《とく》□《しゅ》な加《か》工《こう》を施《ほどこ》す。

12 □《ぜっ》□《たい》遅《おく》れないでください。

13 □《くう》□《ふく》に耐《た》える。

14 国《こっ》家《か》の□《はん》□《えい》を願《ねが》う。

15 母《はは》の□《かた》□《み》の品《しな》をしまう。

16 □《ぶ》□《あい》制《せい》の給料《きゅうりょう》。

17 □《たい》□《くつ》しのぎに本《ほん》を読《よ》む。

18 商品《しょうひん》の□《めい》□《しょう》を確認《かくにん》する。

19 データが□《ふっ》□《きゅう》する。

20 作《さ》業《ぎょう》が□《じゅん》□《ちょう》に進《すす》む。

26日目の答え

①こうふん　②そうおん　③いと　④のうり　⑤へいこう　⑥ぶんせき　⑦だとう　⑧ぎょうそう　⑨きんこう　⑩ぼうだい
⑪縮小　⑫減少　⑬遺産　⑭潮時　⑮提案　⑯管理　⑰渡航　⑱売買　⑲収集

29日目 街中でよく見る漢字

月　日　正解数　／20問

●次の漢字を読みましょう。

1 手《て》を挟まれないように。
（　　　　）

2 不動産《ふどうさん》を査定する。
（　　　　）

3 探偵事務所《じむしょ》に調査《ちょうさ》を依頼《いらい》する。
（　　　　）

4 新車《しんしゃ》の試乗会《かい》に出《で》かける。
（　　　　）

5 圧倒的《あっとうてき》な品揃えを誇《ほこ》る店《みせ》。
（　　　　）

6 街《まち》の魅力《みりょく》を凝縮したスポット。
（　　　　）

7 的確《てきかく》なアドバイスを貰う。
（　　　　）

8 プラン満載の旅行《りょこう》パンフレット。
（　　　　）

9 潤いのある生活《せいかつ》。
（　　　　）

10 郊外《こうがい》の戸建て。
（　　　　）

●次の――線を漢字で書きましょう。

11 ひじょうボタンを押《お》す。
（　　　　）

12 ぜひ立《た》ちよりたいカフェ。
（　　　　）

13 しんちくマンションが建《た》つ。
（　　　　）

14 とほ十分《じっぷん》で着《つ》く。
（　　　　）

15 食《た》べ物《もの》でちょうない環境《かんきょう》を整《ととの》える。
（　　　　）

16 ビフィズスきんの豊富《ほうふ》な飲料《いんりょう》。
（　　　　）

17 初回《しょかい》げんていの価格《かかく》。
（　　　　）

18 値段《ねだん》がてごろな商品《しょうひん》。
（　　　　）

19 四季《しき》おりおりの植物《しょくぶつ》を愛《め》でる。
（　　　　）

20 駅《えき》に近《ちか》いちんたい住宅《じゅうたく》。
（　　　　）

27日目の答え

①超える・越える　②乗る・載る　③付く（附く）・就く・着く　④昇る（上る）・登る・上る　⑤納める・治める・修める・収める　⑥撮る・捕る（取る・獲る）・取る・採る　⑦開→明　⑧治→直　⑨振→降　⑩引→弾　⑪図→測（計）　⑫整→調　⑬進→勧（奨）　⑭揚→挙　⑮後→跡

30日目 すらすら読みたい基本の漢字3

月　日　正解数　／20問

●次の漢字を読みましょう。

1 臨時（　　　）
2 宝物（　　　）
3 干潮（　　　）
4 再起（　　　）
5 無残（　　　）
6 盛大（　　　）
7 感触（　　　）
8 屈強（　　　）
9 山場（　　　）
10 過程（　　　）
11 描写（　　　）
12 変転（　　　）
13 厳重（　　　）
14 操縦（　　　）
15 派出所（　　　）
16 巻物（　　　）
17 伝染（　　　）
18 措置（　　　）
19 磁石（　　　）
20 閲覧（　　　）

28日目の答え
①異論　②温暖　③肉眼　④敗退　⑤至急　⑥工夫　⑦納税　⑧条約　⑨入居　⑩禁止　⑪特殊　⑫絶対　⑬空腹　⑭繁栄　⑮形見　⑯歩合　⑰退屈　⑱名称　⑲復旧　⑳順調

31日目 よく聞くことわざ・慣用句２

月　日

正解数　／12問

次の□にあてはまる漢字を書きましょう。

1 □《るい》は友《とも》を呼《よ》ぶ

似た者同士は、自然と集まるということ。

2 □《ろん》より証拠《しょうこ》

ぎろんをするよりも、証拠を示したほうがはっきりするということ。

3 嘘《うそ》も方《ほう》□《べん》

目的を達成するためには、ときには嘘をつくことも必要だということ。

4 楽《らく》あれば□《く》あり

楽しいことのあとには、くるしいことがくる。

5 泣《な》き□《つら》に蜂《はち》

不運に、さらに不幸や不運が重なることのたとえ。

6 □《ひと》のふり見《み》て□《わ》がふり直《なお》せ

他人の行動を見て、自分の行動を改めること。

7 針《はり》の穴《あな》から□《てん》のぞく

自分だけの狭い見識で、世界を判断しようとする。

8 □《りょう》□《やく》は口《くち》に苦《にが》し

自分のためになる助言は聞きづらい、ということのたとえ。

次の各組の□に共通して入る漢字を書きましょう。

9 □《いし》の上《うえ》にも三年《さんねん》

辛抱して根気よく続ければ、必ず成功するということ。

□《いし》橋《ばし》をたたいて渡《わた》る

用心のうえにも用心を重ねて物事を行うこと。

10 善《ぜん》は□《いそ》げ

よいと思ったら、ためらわずに早く実行すること。

□《いそ》がば回《まわ》れ

危険な近道より、安全な本道を行ったほうが早く目的地に着く。

11 □《くち》は災《わざわ》いの門《かど》

うっかり話した言葉が災いをもたらすことがあるので、話す言葉には注意せよということ。

人《ひと》の□《くち》に戸《と》は立《た》てられぬ

世間の噂話《うわさばなし》は、防ぎようがないというたとえ。

12 □《おに》に金棒《かなぼう》

強いうえに、さらに強さが加わることのたとえ。

□《おに》の目《め》にも涙《なみだ》

冷たい人間でも、ときには情を感じて涙を流すことがあるというたとえ。

29日目の答え

①はさ　②さてい　③たんてい　④しじょう　⑤しなぞろ　⑥ぎょうしゅく　⑦もら　⑧まんさい　⑨うるお　⑩こだ　⑪非常　⑫寄
⑬新築　⑭徒歩　⑮腸内　⑯菌　⑰限定　⑱手頃　⑲折折（折々）　⑳賃貸

第2章

うっかり間違えやすい漢字

32日目 テレビやラジオでよく聞く漢字1

月　日
正解数　／20問

●次の□にあてはまる漢字を書きましょう。

1 事故現場《じこげんば》から□《ちゅう》□《けい》する。

2 基準《きじゅん》に□《てき》□《ごう》する。

3 巨大地震《きょだいじしん》の□《ちょう》□《こう》がある。

4 □《ふっ》□《こう》予算《よさん》を確保《かくほ》する。

5 □《みん》□《ぱく》の条例《じょうれい》を制定《せいてい》する。

6 地域情報《ちいきじょうほう》を□《はっ》□《しん》する。

7 問題《もんだい》の□《かく》□《しん》に迫《せま》る。

8 □《じつ》□《ざい》の人物《じんぶつ》が主人公《しゅじんこう》。

9 □《えん》□《せい》先《さき》から帰国《きこく》する。

10 □《こく》□《せい》調査《ちょうさ》が行《おこな》われる。

11 民間《みんかん》の専門家《せんもんか》に協力《きょうりょく》を□《あお》ぐ。

12 株価《かぶか》が高値《たかね》で□《すい》□《い》する。

13 自分《じぶん》の□《はん》□《せい》を費《つい》やす。

14 □《とく》□《せつ》会場《かいじょう》で催《もよお》しを行《おこな》う。

15 法案《ほうあん》が□《せい》□《りつ》する。

16 内閣《ないかく》が□《く》□《きょう》に立《た》たされる。

17 □《みつ》□《にゅう》□《こく》者《しゃ》を摘発《てきはつ》する。

18 □《ちょう》□《えき》三年《さんねん》の判決《はんけつ》が下《くだ》る。

19 上空《じょうくう》からの□《そう》□《さく》。

20 □《い》□《かん》の意《い》を表《あらわ》す。

30日目の答え

①りんじ　②たからもの（ほうもつ）　③かんちょう　④さいき　⑤むざん　⑥せいだい　⑦かんしょく　⑧くっきょう
⑨やまば　⑩かてい　⑪びょうしゃ　⑫へんてん　⑬げんじゅう　⑭そうじゅう　⑮はしゅつじょ　⑯まきもの
⑰でんせん　⑱そち　⑲じしゃく　⑳えつらん

33日目 新聞でよく見る漢字1

月　日　正解数　／20問

●次の――線の漢字を読みましょう。

1 話題《わだい》の書籍。（　　）

2 麻薬《まやく》を押収する。（　　）

3 繊細な性格《せいかく》の人物《じんぶつ》。（　　）

4 十年《じゅうねん》に一人《ひとり》の逸材。（　　）

5 賭博への関与《かんよ》が発覚《はっかく》する。（　　）

6 東京外国《とうきょうがいこく》為替市場《しじょう》（　　）

7 心《こころ》の琴線に触《ふ》れる詩《し》。（　　）

8 災害《さいがい》の痕跡が残《のこ》る街《まち》。（　　）

9 三番手《さんばんて》に浮上する。（　　）

10 研究《けんきゅう》に没頭する。（　　）

11 政府《せいふ》を翻弄するテロリスト。（　　）

12 緻密な調査《ちょうさ》が行《おこな》われる。（　　）

13 百貨店《ひゃっかてん》の利用《りよう》頻度の調査《ちょうさ》。（　　）

14 サッカー発祥の地《ち》。（　　）

15 事態《じたい》は混沌としている。（　　）

16 戸惑いを感《かん》じる。（　　）

17 会社勤《かいしゃづと》めの傍ら油絵《あぶらえ》を制作《せいさく》する。（　　）

18 一服《いっぷく》の清涼剤のような映画《えいが》。（　　）

19 抑制のきいた言《い》い回《まわ》し。（　　）

20 奇抜なファッション。（　　）

31日目の答え
①類 ②論 ③便 ④苦 ⑤面 ⑥人・我 ⑦天 ⑧良薬 ⑨石 ⑩急 ⑪口 ⑫鬼

34日目 書き間違えやすい漢字

月　日

正解数　／19問

●次の文から間違っている漢字を一つずつ探し、正しく直しましょう。

1 新商品《しんしょうひん》の販売《はんばい》を提進《そくしん》する。

誤（　　　）→正（　　　）

2 結婚式《けっこんしき》の費用《ひよう》で、脚《あし》が出《で》る。

誤（　　　）→正（　　　）

3 デジタル化《か》の幣害《へいがい》を検証《けんしょう》する。

誤（　　　）→正（　　　）

4 疲《つか》れたので木影《こかげ》で休憩《きゅうけい》しよう。

誤（　　　）→正（　　　）

5 旅《たび》の思《おも》い出《で》をまとめた記行文《きこうぶん》。

誤（　　　）→正（　　　）

6 銀行口座《ぎんこうこうざ》の名儀《めいぎ》を変更《へんこう》する。

誤（　　　）→正（　　　）

7 彼《かれ》は意外《いがい》に巧撃的《こうげきてき》な性格《せいかく》だ。

誤（　　　）→正（　　　）

8 消防所員《しょうぼうしょいん》が救急法《きゅうきゅうほう》の指導《しどう》をする。

誤（　　　）→正（　　　）

9 状況《じょうきょう》に応《おう》じ手順《てじゅん》を適宜《てきぎ》変更《へんこう》する。

誤（　　　）→正（　　　）

●次の□にあてはまる漢字を書きましょう。

10 被災地《ひさいち》に医師《いし》を□《は》□《けん》する。

11 仕事《しごと》を□《した》□《う》けに出《だ》す。

12 □《あぶら》□《あせ》をかく。

13 部員《ぶいん》を□《とう》□《そつ》する。

14 江戸時代《えどじだい》の□《てら》□《こ》□《や》。

15 □《しゅ》□《じ》□《い》の先生《せんせい》。

16 □《せん》□《もん》家《か》に相談《そうだん》する。

17 妻《つま》の□《き》□《げん》をとる。

18 見事《みごと》な□《さい》□《はい》を振《ふ》る。

19 □《き》□《せい》事実《じじつ》として認《みと》める。

32日目の答え

①中継　②適合　③兆候（徴候）　④復興　⑤民泊　⑥発信　⑦核心　⑧実在　⑨遠征　⑩国勢　⑪仰　⑫推移　⑬半生　⑭特設　⑮成立　⑯苦境　⑰密入国　⑱懲役　⑲捜索　⑳遺憾

35日目 読み間違えやすい漢字1

月　日

正解数　／20問

●次の漢字を読みましょう。

1 海女（　　）

2 会得（　　）

3 外科（　　）

4 図体（　　）

5 建立（　　）

6 名残（　　）

7 短冊（　　）

8 祝儀（　　）

9 御利益（　　）

10 本望（　　）

11 定石（　　）

12 木綿（　　）

13 悪寒（　　）

14 今昔（　　）

15 素人（　　）

16 寄席（　　）

17 海原（　　）

18 健気（　　）

19 詩歌（　　）

20 生粋（　　）

33日目の答え

①しょせき　②おうしゅう　③せんさい　④いつざい　⑤とばく　⑥かわせ　⑦きんせん　⑧こんせき　⑨ふじょう　⑩ぼっとう
⑪ほんろう　⑫ちみつ　⑬ひんど　⑭はっしょう　⑮こんとん　⑯とまど　⑰かたわ　⑱せいりょうざい　⑲よくせい　⑳きばつ

36日目 読めそうで読めない「動詞」

月　日

正解数　／20問

●次の漢字を読みましょう。

1 偏（　　　）る

2 背（　　　）ける

3 慈（　　　）しむ

4 委（　　　）ねる

5 奮（　　　）う

6 粘（　　　）る

7 蘇（　　　）る

8 装（　　　）う

9 育（　　　）む

10 尊（　　　）ぶ

11 遡（　　　）る

12 創（　　　）る

13 抱（　　　）える

14 抑（　　　）える

15 営（　　　）む

16 免（　　　）れる

17 褒（　　　）める

18 諦（　　　）める

19 拭（　　　）う

20 滞（　　　）る

34日目の答え

①捉→促　②脚→足　③幣→弊　④影→陰（蔭）　⑤記→紀　⑥儀→義　⑦巧→攻　⑧所→署　⑨宣→宜　⑩派遣　⑪下請　⑫脂汗　⑬統率　⑭寺子屋　⑮主治医　⑯専門　⑰機嫌　⑱采配　⑲既成

37日目 書けそうで書けない四字熟語1

月　日
正解数　／16問

●次の□にあてはまる漢字を書きましょう。

1 意《い》気《き》□《よう》□《よう》
とても得意げで、満足している様子。

2 試《し》行《こう》□《さく》□《ご》
いろいろ試してみては失敗を繰り返しながら、目的にせまっていくこと。

3 首《しゅ》□《び》一《いっ》□《かん》
態度や考え方が終始矛盾していないこと。

4 □《し》離《り》滅《めつ》□《れつ》
統一感がなく、バラバラでまとまりがないこと。

5 □《しつ》実《じつ》□《ごう》健《けん》
まじめで飾り気がなく、強くしっかりしていること。

6 電《でん》光《こう》□《せっ》□《か》
稲妻やひ打ちいしの光のように、きわめて短時間のこと。転じて、行動などが非常に素早い様子。

7 朝《ちょう》□《れい》暮《ぼ》□《かい》
朝出したれいれいを夕方にはあらためること。むやみに法律やめいれいを変えることのたとえ。

8 無《む》病《びょう》□《そく》□《さい》
病気をせず、健康であること。

●次の四字熟語から間違っている漢字を一つ探し、正しましょう。

9 心《しん》気《き》一《いっ》転《てん》　誤（　　）→正（　　）
何かのきっかけで、気持ちが変わること。

10 短《たん》刀《とう》直《ちょく》入《にゅう》　誤（　　）→正（　　）
一人で敵地に乗り込むこと。転じて前置きがなく、要点に入ること。

11 得《とく》意《い》万《まん》面《めん》　誤（　　）→正（　　）
誇らしげにまんぞくした様子が、顔全体に表れる様子。

12 絶《ぜっ》対《たい》絶《ぜつ》命《めい》　誤（　　）→正（　　）
からだも命も尽き果てるほどの、とうていのがれられない状態にあること。

13 針《しん》少《しょう》棒《ぼう》大《だい》　誤（　　）→正（　　）
ちいさいことを大げさに誇張していうことのたとえ。

14 進《しん》出《しゅつ》鬼《き》没《ぼつ》　誤（　　）→正（　　）
かみわざのように現れたり消えたりして、所在がわからないこと。

15 五《ご》里《り》夢《む》中《ちゅう》　誤（　　）→正（　　）
見通しが悪くて、まったく見当がつけられないことのたとえ。

16 危《き》機《き》一《いっ》発《ぱつ》　誤（　　）→正（　　）
とても危ない状態のこと。

35日目の答え
①あま　②えとく　③げか　④ずうたい　⑤こんりゅう　⑥なごり　⑦たんざく（たんじゃく）　⑧しゅうぎ　⑨ごりやく　⑩ほんもう　⑪じょうせき　⑫もめん（きわた）　⑬おかん　⑭こんじゃく（こんせき）　⑮しろうと　⑯よせ　⑰うなばら　⑱けなげ　⑲しいか（しか）　⑳きっすい

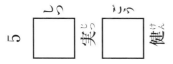

38日目 読めそうで読めない「形容詞」

月　日

正解数　／20問

●次の漢字を読みましょう。

1 淡（　　　　）い

2 柔（　　　　）らかい

3 怪（　　　　）しい

4 易（　　　　）しい

5 凄（　　　　）まじい

6 面倒臭（　　　　）い

7 狂（　　　　）おしい

8 頼（　　　　）もしい

9 素早（　　　　）い

10 乏（　　　　）しい

11 紛（　　　　）らわしい

12 嘆（　　　　）かわしい

13 著（　　　　）しい

14 珍（　　　　）しい

15 懐（　　　　）かしい

16 怖（　　　　）い

17 煩（　　　　）わしい

18 妬（　　　　）ましい

19 仄暗（　　　　）い

20 麗（　　　　）しい

36日目の答え

①かたよ　②そむ　③いつく　④ゆだ　⑤ふる　⑥ねば　⑦よみがえ　⑧よそお　⑨はぐく　⑩とうと（たっと）　⑪さかのぼ　⑫つく　⑬かか　⑭おさ　⑮いとな　⑯まぬか（まぬが）　⑰ほ　⑱あきら　⑲ぬぐ　⑳とどこお

39日目

書けそうで書けないことわざ・慣用句1

月　日

正解数　　／16問

●次の□にあてはまる漢字を書きましょう。

1 かわいい子《こ》には□《たび》をさせよ

本当にかわいいなら、甘やかさずつらい現実を体験させたほうがいいということ。

2 立《た》て□《いた》に水《みず》

すらすらと、よどみなく話すことのたとえ。

3 糠《ぬか》に□《くぎ》

手ごたえも効き目もないことのたとえ。

4 知《し》らぬが□《ほとけ》

知っていると腹がたつが、知らなければ平気でいるさま。

5 □《おび》に短《みじか》したすきに長《なが》し

物事が中途半端で役に立たないこと。

6 □《おん》を仇《あだ》で返《かえ》す

相手におん返ししないばかりでなく、害になるようなことをする。

7 □《ごう》に入《い》っては□《ごう》に従《したが》え

人は、自分が新たに住む土地の風俗や習慣に従うべきだということ。

8 後《あと》は□《の》となれ□《やま》となれ

今さえよければ、あとはどうなってもかまわない、の意。

●次のことわざ・慣用句から間違っている漢字を一つ探し、正しましょう。

9 濡《ぬ》れ手《て》で泡《あわ》

誤（　　）→正（　　）

苦労をまったくせずに利益を得ること。

10 早《はや》起《お》きは三文《さんもん》の特《とく》

誤（　　）→正（　　）

早起きをすると、いいことがあるということ。

11 笑《わら》う角《かど》には福《ふく》来《き》たる

誤（　　）→正（　　）

いつも笑っている人の家には、自然と幸運が訪れるということ。

12 灯台元暗《とうだいもとくら》し

誤（　　）→正（　　）

身近すぎて、かえって気づかないこと。

13 円《えん》の下《した》の力持《ちからも》ち

誤（　　）→正（　　）

他人に知られずに、人のために苦労や努力をすること。

14 無用《むよう》の重物《ちょうぶつ》

誤（　　）→正（　　）

あっても役にたたず、かえって邪魔になるもの。

15 二《に》の苦《く》が継《つ》げない

誤（　　）→正（　　）

驚いたりあきれたりして、話す言葉が見つからないこと。

16 橋《はし》にも棒《ぼう》にも掛《か》からぬ

誤（　　）→正（　　）

あまりにもひどすぎて、どうにもならないこと。

37日目の答え

①揚揚　②錯誤　③尾・貫　④支・裂　⑤質・剛　⑥石火　⑦令・改　⑧息災　⑨気→機　⑩短→単　⑪万→満　⑫対→体　⑬少→小　⑭進→神　⑮夢→霧　⑯発→髪

40日目 読めそうで読めない「副詞」など

月　日

正解数　／20問

●次の漢字を読みましょう。

1 休日《きゅうじつ》は専らゴルフばかりだ。（　　　）

2 役所《やくしょ》に勤務《きんむ》する傍ら大学《だいがく》に通《かよ》う。（　　　）

3 頑なに申《もう》し出《で》を拒《こば》む。（　　　）

4 直近の予定《よてい》を教《おし》えてください。（　　　）

5 即座に決断《けつだん》を下《くだ》す。（　　　）

6 先生《せんせい》は憤然として出《で》て行《い》った。（　　　）

7 業績《ぎょうせき》は我《わ》が社《しゃ》が僅かにリード。（　　　）

8 甚だ迷惑《めいわく》な話《はなし》だ。（　　　）

9 旧友《きゅうゆう》と語《かた》らい、且つ笑《わら》った。（　　　）

10 奇しくも父《ちち》と私《わたし》は同《おな》じ誕生日《たんじょうび》だ。（　　　）

11 漸く見通《みとお》しが立《た》つ。（　　　）

12 予め資料《しりょう》を配《くば》っておく。（　　　）

13 あの日《ひ》の記憶《きおく》は鮮明だ。（　　　）

14 勿論私《わたし》も参加《さんか》します。（　　　）

15 例《れい》の件《けん》、切にお願《ねが》いいたします。（　　　）

16 彼《かれ》は忽然と姿《すがた》を消《け》してしまった。（　　　）

17 うちの猫《ねこ》は滅多に外《そと》に出《で》ない。（　　　）

18 数多の人《ひと》が集《あつ》まる場所《ばしょ》。（　　　）

19 今朝《けさ》は殊に冷《ひ》える。（　　　）

20 敢えて茨《いばら》の道《みち》を選《えら》ぶ。（　　　）

38日目の答え

①あわ　②やわ　③あや　④やさ　⑤すさ　⑥めんどうくさ（めんどくさ）　⑦くる　⑧たの　⑨すばや　⑩とぼ（とも）　⑪まぎ　⑫なげ　⑬いちじる　⑭めずら　⑮なつ　⑯こわ　⑰わずら　⑱ねた　⑲ほのぐら　⑳うるわ

41日目 読み間違いに気をつけたい漢字1

月　日

正解数　／20問

●次の漢字を読みましょう。

1 予知（　　　）

2 矛先（　　　）

3 惜敗（　　　）

4 措置（　　　）

5 遂行（　　　）

6 墜落（　　　）

7 漸次（　　　）

8 暫時（　　　）

9 凡庸（　　　）

10 汎用（　　　）

11 所属（　　　）

12 委嘱（　　　）

13 手錠（　　　）

14 破綻（　　　）

15 均衡（　　　）

16 折衝（　　　）

17 哀切（　　　）

18 衰退（　　　）

19 衷心（　　　）

20 喪失（　　　）

39日目の答え

①旅　②板　③釘　④仏　⑤帯　⑥恩　⑦郷・郷　⑧野・山　⑨泡→粟　⑩特→徳（得）　⑪角→門　⑫元→下　⑬円→縁　⑭重→長　⑮苦→句　⑯橋→箸

42日目 読めそうで読めない四字熟語1

月　日

正解数　／16問

●次の漢字を読みましょう。

1 千変万化（　　　）
とてもめまぐるしく変化すること。

2 泰然自若（　　　）
何があってもあわてず、落ち着いていて、ふだんと変わらない様子。

3 我田引水（　　　）
物事を、自分の都合のいいように言ったりしたりすること。

4 上意下達（　　　）
上の者の考えや意向を、下の者にいきわたらせること。

5 金科玉条（　　　）
絶対的なものとして、守り続けるもののこと。

6 二律背反（　　　）
二つの命題が同じような妥当性を持っているように見えながら、矛盾して両立しないこと。

7 沈思黙考（　　　）
黙って深く物事を考えること。

8 大言壮語（　　　）
できそうもない大げさなことを言う。またはその言葉。

9 一日千秋（　　　）
待ち遠しいこと。一日三秋。

10 傍若無人（　　　）
人前でも気にせず、勝手気ままなふるまいをすること。

11 東奔西走（　　　）
目的達成のために、あちこち忙しく駆け回ること。

12 有為転変（　　　）
世の中は移り変わりやすいこと。

13 古今東西（　　　）
今も昔も、いつでもどこでも。

14 月下氷人（　　　）
男女の仲を取り持つ人のこと。仲人。

15 一朝一夕（　　　）
とても短い時間。ひと晩かひと朝。

16 天衣無縫（　　　）
詩歌などに技巧のあとがなく、自然で美しくしている様子。人柄が飾り気なく、純真で無邪気なことのたとえ。

40日目の答え

①もっぱ　②かたわ　③かたく　④ちょっきん　⑤そくざ　⑥ふんぜん　⑦わず　⑧はなは　⑨か　⑩く　⑪ようや　⑫あらかじ　⑬せんめい　⑭もちろん　⑮せつ　⑯こつぜん（こつねん）　⑰めった　⑱あまた　⑲こと　⑳あ

43日目 読めそうで読めない地名1

月　日
正解数　／20問

●次の漢字を読みましょう。

1 太秦（京都府《きょうとふ》）（　　　　）

2 男鹿（秋田県《あきたけん》）（　　　　）

3 小千谷（新潟県《にいがたけん》）（　　　　）

4 大曲（秋田県《あきたけん》）（　　　　）

5 鵠沼（神奈川県《かながわけん》）（　　　　）

6 枚方（大阪府《おおさかふ》）（　　　　）

7 郡上八幡（岐阜県《ぎふけん》）（　　　　）

8 常滑（愛知県《あいちけん》）（　　　　）

9 長万部（北海道《ほっかいどう》）（　　　　）

10 種子島（鹿児島県《かごしまけん》）（　　　　）

●次の世界遺産の名前を読みましょう。

11 厳島神社（広島《ひろしま》の社寺《しゃじ》）（　　　　）

12 鹿苑寺（京都《きょうと》の社寺《しゃじ》）（　　　　）

13 二荒山神社（日光《にっこう》の社寺《しゃじ》）（　　　　）

14 大良峡（白神山地《しらかみさんち》）（　　　　）

15 毛越寺（平泉《ひらいずみ》の考古学的《こうこがくてき》遺跡群《いせきぐん》）（　　　　）

16 羅臼岳（知床《しれとこ》）（　　　　）

17 大峯奥駈道（紀伊山地《きいさんち》の霊場《れいじょう》と参詣道《さんけいみち》）（　　　　）

18 忍野八海（富士山《ふじさん》―信仰《しんこう》の対象《たいしょう》と芸術《げいじゅつ》の源泉《げんせん》）（　　　　）

19 石見銀山（石見銀山遺跡《いせき》とその文化的《ぶんかてき》景観《けいかん》）（　　　　）

20 元興寺（古都奈良《ことなら》の文化財《ぶんかざい》）（　　　　）

41日目の答え

①よち　②ほこさき　③せきはい　④そち　⑤すいこう　⑥ついらく　⑦ぜんじ　⑧ざんじ　⑨ぼんよう　⑩はんよう　⑪しょぞく
⑫いしょく　⑬てじょう　⑭はたん　⑮きんこう　⑯せっしょう　⑰あいせつ　⑱すいたい　⑲ちゅうしん　⑳そうしつ

44日目 読めそうで読めない歴代首相の名前

月　日

正解数　／20問

●次の漢字を読みましょう。

1 原敬（　　　）

2 池田勇人（　　　）

3 菅直人（　　　）

4 大平正芳（　　　）

5 伊藤博文（　　　）

6 田中角栄（　　　）

7 森喜朗（　　　）

8 福田康夫（　　　）

9 大隈重信（　　　）

10 海部俊樹（　　　）

11 安倍晋三（　　　）

12 岸信介（　　　）

13 中曽根康弘（　　　）

14 竹下登（　　　）

15 羽田孜（　　　）

16 犬養毅（　　　）

17 小泉純一郎（　　　）

18 吉田茂（　　　）

19 鳩山一郎（　　　）

20 佐藤栄作（　　　）

42日目の答え

①せんぺんばんか　②たいぜんじじゃく　③がでんいんすい　④じょういかたつ　⑤きんかぎょくじょう　⑥にりつはいはん　⑦ちんしもっこう　⑧たいげんそうご　⑨いちじつせんしゅう（いちにちせんしゅう）　⑩ぼうじゃくぶじん　⑪とうほんせいそう　⑫ういてんぺん　⑬ここんとうざい　⑭げっかひょうじん　⑮いっちょういっせき　⑯てんいむほう

新聞でよく見る漢字2

月　日　正解数　／20問

●次の漢字を読みましょう。

1 機体《きたい》の残骸が発見《はっけん》される。（　　）

2 トップを走《はし》る選手《せんしゅ》に肉薄する。（　　）

3 不朽の名作《めいさく》。（　　）

4 放射《ほうしゃ》冷却で冷《ひ》え込《こ》みが厳《きび》しい。（　　）

5 厳粛な雰囲気《ふんいき》。（　　）

6 春《はる》の大会《たいかい》で連覇する。（　　）

7 再生《さいせい》エネルギーを普及させる。（　　）

8 閉塞感《かん》を覚《おぼ》える。（　　）

9 オリンピックの開催。（　　）

10 玄人はだしの腕前《うでまえ》。（　　）

11 冬場《ふゆば》に繁殖する鳥《とり》。（　　）

12 工場《こうじょう》の機械《きかい》をフル稼働させる。（　　）

13 絶滅《ぜつめつ》危惧種《しゅ》の動物《どうぶつ》。（　　）

14 二酸化炭素排出量《にさんかたんそはいしゅつりょう》の削減。（　　）

15 物価《ぶっか》が高騰する。（　　）

16 懐《なつ》かしの名画。（　　）

17 極寒の地《ち》。（　　）

18 富士山《ふじさん》山麓の小屋《こや》。（　　）

19 肥沃な大地《だいち》。（　　）

20 先《さき》行《ゆ》きに懸念がある。（　　）

43日目の答え

①うずまさ　②おが　③おぢや　④おおまがり　⑤くげぬま　⑥ひらかた　⑦ぐじょうはちまん　⑧とこなめ　⑨おしゃまんべ　⑩たねがしま　⑪いつくしまじんじゃ　⑫ろくおんじ　⑬ふたらさんじんじゃ　⑭だいらきょう　⑮もうつうじ　⑯らうすだけ　⑰おおみねおくがけみち　⑱おしのはっかい　⑲いわみぎんざん　⑳がんごうじ

46日目 書き間違えると恥ずかしい漢字

月　日

正解数　／19問

● 次の文から間違っている漢字を一つ探し、正しましょう。

1 通話《つうわ》を終《お》えて受話機《じゅわき》を置《お》く。

誤（　　）→正（　　）

2 風香《かぜかお》る五月《ごがつ》となった。

誤（　　）→正（　　）

3 候補者《こうほしゃ》が一同《いちどう》に会《かい》する機会《きかい》。

誤（　　）→正（　　）

4 鼻高々《はなたかだか》に自論《じろん》を展開《てんかい》する。

誤（　　）→正（　　）

5 新年度《しんねんど》に向《む》けての人事移動《じんじいどう》。

誤（　　）→正（　　）

6 明日《あす》の降水確立《こうすいかくりつ》は八十《はちじっ》%だ。

誤（　　）→正（　　）

7 優勝《ゆうしょう》して有頂点《うちょうてん》になる。

誤（　　）→正（　　）

8 腰《こし》の辺《あた》りに異和感《いわかん》を覚《おぼ》える。

誤（　　）→正（　　）

9 厳《きび》しい生存競走《せいぞんきょうそう》に打《う》ち勝《か》つ。

誤（　　）→正（　　）

● 次の―線を正しく直しましょう。

10 今月中《こんげつなか》ばに海外出張《かいがいしゅっちょう》がある。

（　　）

11 武者修行《むしゃしゅぎょう》に出《で》かける。

（　　）

12 麻薬《まやく》の買売《ばいばい》に手《て》を染《そ》める。

（　　）

13 優秀《ゆうしゅう》の美《び》を飾《かざ》る。

（　　）

14 容疑者《ようぎしゃ》の事情《じじょう》徴取《ちょうしゅ》が行《おこな》われる。

（　　）

15 醜《みにく》い泥試合《どろじあい》になる。

（　　）

16 義兄《ぎけい》は穏好《おんこう》な性格《せいかく》だ。

（　　）

17 犯罪者《はんざいしゃ》を公正《こうせい》させる。

（　　）

18 社交事例《しゃこうじれい》を真《ま》に受《う》けないで。

（　　）

19 話《はなし》を最大漏《さいだいも》らさず伝《つた》える。

（　　）

44日目の答え

①はらたかし　②いけだはやと　③かんなおと　④おおひらまさよし　⑤いとうひろぶみ　⑥たなかかくえい　⑦もりよしろう　⑧ふくだやすお　⑨おおくましげのぶ　⑩かいふとしき　⑪あべしんぞう　⑫きしのぶすけ　⑬なかそねやすひろ　⑭たけしたのぼる　⑮はたつとむ　⑯いぬかいつよし　⑰こいずみじゅんいちろう　⑱よしだしげる　⑲はとやまいちろう　⑳さとうえいさく

47日目

読めそうで読めない仕事に関する漢字

月　日

正解数　／20問

●次の漢字を読みましょう。

1 顧客（　　）

2 上役（　　）

3 中枢（　　）

4 営為（　　）

5 頒布（　　）

6 許諾（　　）

7 派閥（　　）

8 進捗（　　）

9 社是（　　）

10 稟議（　　）

11 円滑（　　）

12 更迭（　　）

13 報酬（　　）

14 廉価（　　）

15 職掌（　　）

16 不祥事（　　）

17 監査（　　）

18 濫用（　　）

19 緩和（　　）

20 補塡（　　）

45日目の答え

①ざんがい　②にくはく　③ふきゅう　④れいきゃく　⑤げんしゅく　⑥れんぱ　⑦ふきゅう　⑧へいそく　⑨かいさい　⑩くろうと
⑪はんしょく　⑫かどう　⑬きぐ　⑭さくげん　⑮こうとう　⑯めいが　⑰ごっかん　⑱さんろく　⑲ひよく　⑳けねん

48日目

テレビやラジオでよく聞く漢字2

月　日

正解数　／20問

●次の□にあてはまる漢字を書きましょう。

1 円《えん》□《そう》□《ば》を予想《よそう》する。

2 彼《かれ》は□《ち》□《めい》□《ど》が高《たか》い。

3 今日《きょう》□《み》□《めい》の火事《かじ》。

4 劇的《げきてき》な□《ふっ》□《かつ》を遂《と》げる。

5 □《ゆび》□《わ》が発見《はっけん》される。

6 □《せん》□《ろ》内《ない》で事故《じこ》が起《お》きる。

7 □《しん》□《せん》な風《かぜ》を吹《ふ》き込《こ》む。

8 □《はだ》□《ざわ》りのいいシャツ。

9 人生《じんせい》の□《は》□《ぐるま》が狂《くる》う。

10 史実《しじつ》を□《た》□《かく》的《てき》に描《えが》く。

11 改革推進《かいかくすいしん》が□《きゅう》□《む》である。

12 □《まえ》□《だお》しで作業《さぎょう》する。

13 電気《でんき》を安定《あんてい》して□《きょう》□《きゅう》する。

14 強敵《きょうてき》と□《ご》□《かく》に渡《わた》り合《あ》う。

15 協会《きょうかい》の活動《かつどう》の□《いっ》□《たん》を知《し》る。

16 軍用機《ぐんようき》が□《つい》□《らく》する。

17 日銀《にちぎん》が市場《しじょう》に□《かい》□《にゅう》する。

18 三年連続優勝《さんねんれんぞくゆうしょう》の□《かい》□《きょ》。

19 映画《えいが》の□《ぶ》□《たい》を訪《おとず》れる。

20 将来《しょうらい》に□《き》□《き》感《かん》を抱《いだ》く。

46日目の答え

①機→器　②香→薫　③同→堂　④自→持　⑤移→異　⑥立→率　⑦点→天　⑧異→違　⑨走→争　⑩半ば　⑪修業　⑫売買　⑬有終　⑭聴取　⑮泥仕合　⑯温厚　⑰更生　⑱辞令　⑲細大

49日目

書けそうで書けない地名

月　日
正解数　／20問

●次の□にあてはまる漢字を書きましょう。

1 □《も》□《がみ》川《がわ》

2 □《あわ》□《じ》島《しま》

3 □《し》□《まん》□《と》川《がわ》

4 □《あ》□《ばしり》市《し》

5 □《ひろ》□《さき》市《し》

6 □《よな》□《ご》市《し》

7 □《いり》□《おもて》島《じま》

8 □《しな》□《の》川《がわ》

9 □《い》□《おう》島《とう》（東京都《とうきょうと》）

10 □《しゃこ》□《たん》半島《はんとう》

●次の旧国名を漢字で書きましょう。

11 いよ（愛媛県《えひめけん》）（　　）

12 わかさ（福井県《ふくいけん》）（　　）

13 ひゅうが（宮崎県《みやざきけん》）（　　）

14 おわり（愛知県《あいちけん》）（　　）

15 ぶんご（大分県《おおいたけん》）（　　）

16 のと（石川県《いしかわけん》）（　　）

17 さがみ（神奈川県《かながわけん》）（　　）

18 いずも（島根県《しまねけん》）（　　）

19 かい（山梨県《やまなしけん》）（　　）

20 たんば（京都府《きょうとふ》・兵庫県《ひょうごけん》）（　　）

47日目の答え

①こきゃく（こかく）　②うわやく　③ちゅうすう　④えいい　⑤はんぷ　⑥きょだく　⑦はばつ　⑧しんちょく　⑨しゃぜ　⑩りんぎ（ひんぎ）
⑪えんかつ　⑫こうてつ　⑬ほうしゅう　⑭れんか　⑮しょくしょう　⑯ふしょうじ　⑰かんさ　⑱らんよう　⑲かんわ　⑳ほてん

50日目 読み間違えやすい漢字2

月　日
正解数　／19問

●次の漢字を読みましょう。

1 断崖（　　）
2 流布（　　）
3 返戻（　　）
4 柔和（　　）
5 境内（　　）
6 聴聞（　　）
7 吹聴（　　）
8 風体（　　）
9 凡例（　　）
10 功徳（　　）

●次の漢字を正しく読んだものを、あとから選んで書きましょう。

11 事由　じゆ　じゆう（　　）
12 礼賛　れいさん　らいさん（　　）
13 相殺　そうさつ　そうさい（　　）
14 供物　きょうぶつ　くもつ（　　）
15 体育　たいく　たいいく（　　）
16 雑言　ざつげん　ぞうごん（　　）
17 一矢　いっし　ひとや（　　）
18 茨城　いばらぎ　いばらき（　　）
19 煩悩　はんのう　ぼんのう（　　）

48日目の答え

①相場　②知名度　③未明　④復活　⑤指輪　⑥線路　⑦新鮮　⑧肌触　⑨歯車　⑩多角　⑪急務　⑫前倒　⑬供給　⑭互角　⑮一端　⑯墜落　⑰介入　⑱快挙　⑲舞台　⑳危機

51日目 書けそうで書けない家族・親族に関する漢字

月　日

正解数　／20問

●次の□にあてはまる漢字を書きましょう。

1 □《むすめ》

2 □□《むすこ》

3 □《つま》

4 □《おっと》

5 □《し》□《そん》

6 □《そ》□《せん》

7 □《よめ》

8 □《しゅうとめ》

9 □《そう》祖《そ》父《ふ》（祖《そ》父《ふ》母《ぼ》の父《ちち》）

10 □《こう》祖《そ》母《ぼ》（祖《そ》父《ふ》母《ぼ》の祖《そ》母《ぼ》）

●次の関係にあたる人物を表す言葉を、すべて漢字二字で書きましょう。

11 父《ちち》のあね □□

12 父《ちち》のいもうと □□

13 母《はは》のあに □□

14 母《はは》のおとうと □□

15 ぎりのあね □□

16 ぎりのおとうと □□

17 ぎりのあに □□

18 ぎりのいもうと □□

19 母《はは》の母《はは》 □□

20 父《ちち》の父《ちち》 □□

49日目の答え

①最上　②淡路　③四万十　④網走　⑤弘前　⑥米子　⑦西表　⑧信濃　⑨硫黄　⑩積丹　⑪伊予　⑫若狭　⑬日向　⑭尾張　⑮豊後　⑯能登　⑰相模　⑱出雲　⑲甲斐　⑳丹波

52日目 読めそうで読めない四字熟語2

月　日　正解数　／15問

●次の漢字を読みましょう。

1 順風満帆（　　　　）

物事が順調にいっていることのたとえ。

2 言行一致（　　　　）

言葉にして言った内容と、言った人の行動が同じであること。

3 一言居士（　　　　）

何に対しても、ひとこと自分の意見を言わないと気が済まない人のこと。

4 縦横無尽（　　　　）

思う存分、ふるまうこと。

5 主客転倒（　　　　）

主人と客の立場が入れ替わること。転じて、物事の軽重などを取り違えること。

6 無為徒食（　　　　）

働かず、遊んで暮らすこと。何もしないで日々を過ごすこと。

7 傍目八目（　　　　）

本人より、そばで見ていた第三者のほうが、物事の利害や先行きなどを正しく判断できること。

8 紆余曲折（　　　　）

うねうね曲がっていることから、事情が込み入って、複雑なことのたとえ。

●次の四字熟語の正しい読み方を選んで書きましょう。

9 前代未聞
［ぜんだいみもん　ぜんだいみぶん］（　　　　）

これまで聞いたことがない珍しいこと。

10 言語道断
［げんごどうだん　ごんごどうだん］（　　　　）

言葉で表すことができないくらいひどいさま。

11 思慮分別
［しりょぶんべつ　しりょふんべつ］（　　　　）

物事の道理をわきまえ、よく考えて判断すること。

12 片言隻語
［へんげんせきご　かたことせきご］（　　　　）

わずかな言葉。片言隻句ともいう。

13 千差万別
［せんさまんべつ　せんさばんべつ］（　　　　）

多くのものが、さまざまに異なっていること。

14 斎戒沐浴
［さいかいもくよく　せいかいもくよく］（　　　　）

飲食や行動を慎み、心を清めて身を洗うこと。

15 百家争鳴
［ひゃくやそうめい　ひゃっかそうめい］（　　　　）

多くの人が自由に議論することのたとえ。

50日目の答え

①だんがい　②るふ　③へんれい　④にゅうわ　⑤けいだい　⑥ちょうもん　⑦ふいちょう　⑧ふうてい（ふうたい）　⑨はんれい　⑩くどく　⑪じゆう　⑫らいさん　⑬そうさい　⑭くもつ　⑮たいいく　⑯ぞうごん　⑰いっし　⑱いばらき　⑲ぼんのう

53日目 うっかりミスをしやすい漢字

月　日　正解数　／19問

●次の―線を漢字に正しく直したほうを選び、（　）に書きましょう。

1 会場《かいじょう》にはおおぜいの人《ひと》が集《あつ》まる。
［多勢　大勢］（　　　　）

2 仕事《しごと》を終《お》えてかいほうかんにひたる。［開放感　解放感］
（　　　　）

3 文章《ぶんしょう》のあやまりを正《ただ》す。
［誤り　謝り］（　　　　）

4 来賓《らいひん》のおうたいをする。
［応対　応待］（　　　　）

5 かいしんの出来映《できば》えの作品《さくひん》。
［快心　会心］（　　　　）

6 規模《きぼ》をしゅくしょうする。
［縮少　縮小］（　　　　）

7 正社員《せいしゃいん》を退《しりぞ》いてしょくたくになる。［嘱託　職託］（　　　　）

8 きゃっかんてきな意見《いけん》を聞《き》かせてほしい。［客感的　客観的］
（　　　　）

9 周囲《しゅうい》にまんべんなく目《め》を配《くば》る。
［満遍　満辺］（　　　　）

●次の□にあてはまる漢字を書きましょう。

10 形勢《けいせい》が□《ぎゃく》□《てん》した。

11 彼《かれ》はなかなか□《き》□《がい》がある。

12 仲間内《なかまうち》での□《あい》□《ず》。

13 □《い》□《く》□《じ》なしと言《い》われた。

14 相手《あいて》の□《き》□《せん》を制《せい》する。

15 六十点《ろくじってん》とれれば□《おん》の字《じ》だ。

16 高級店《こうきゅうてん》に□《き》□《おく》れする。

17 昨晩《さくばん》は眠《ねむ》りを□《ぼう》□《がい》された。

18 □《そう》□《だい》な景色《けしき》を見《み》る。

19 医師《いし》の□《しょ》□《ほう》箋《せん》。

51日目の答え
①娘 ②息子 ③妻 ④夫 ⑤子孫 ⑥祖先 ⑦嫁 ⑧姑 ⑨曽 ⑩高 ⑪伯母 ⑫叔母 ⑬伯父 ⑭叔父 ⑮義姉 ⑯義弟 ⑰義兄 ⑱義妹 ⑲祖母 ⑳祖父

54日目 読み間違えやすい漢字3

月　日
正解数　／20問

次の漢字を読みましょう。

1 心地（　　）
2 母屋（　　）
3 便乗（　　）
4 土産（　　）
5 得体（　　）
6 強面（　　）
7 珍重（　　）
8 猛者（　　）
9 解熱（　　）
10 曲者（　　）

11 乱丁（　　）
12 目深（　　）
13 成仏（　　）
14 権化（　　）
15 桟敷（　　）
16 胸襟（　　）
17 疾病（　　）
18 山車（　　）
19 出納（　　）
20 行脚（　　）

52日目の答え

①じゅんぷうまんぱん　②げんこういっち　③いちげんこじ　④じゅうおうむじん　⑤しゅかく（しゅきゃく）てんとう　⑥むいとしょく　⑦おかめはちもく　⑧うよきょくせつ　⑨ぜんだいみもん　⑩ごんごどうだん　⑪しりょふんべつ　⑫へんげんせきご　⑬せんさばんべつ　⑭さいかいもくよく　⑮ひゃっかそうめい

55日目 読めそうで読めない家族・親族に関する漢字

月　日
正解数　／20問

●次の漢字を読みましょう。

1 舅（　　）

2 姪（　　）

3 従姉妹（　　）

4 再従姉妹（　　）

5 弟（　　）

6 妹（　　）

7 義兄（　　）

8 婿（　　）

9 姑（　　）

10 従兄弟違（　　）い

●次の配偶者を表す漢字を読みましょう。

11 女房（　　）

12 細君（　　）

13 令室（　　）

14 家内（　　）

15 御内儀（　　）

16 主人（　　）

17 亭主（　　）

18 旦那（　　）

19 宅（　　）

20 伴侶（　　）

53日目の答え

①大勢　②解放感　③誤り　④応対　⑤会心　⑥縮小　⑦嘱託　⑧客観的　⑨満遍　⑩逆転　⑪気概　⑫合図　⑬意気地　⑭機先　⑮御　⑯気後　⑰妨害　⑱壮大　⑲処方

書けそうで書けないことわざ・慣用句2

月　日

正解数　／15問

●次の□にあてはまるものを語群から選んで、漢字に直して書きましょう。

1　三人《さんにん》寄《よ》れば□の知《ち》恵《え》

たとえ平凡な人であっても、三人集まって考えれば、すばらしいアイデアが出るということ。

2　□矢《や》の如《ごと》し

月日がたつのは早い、ということのたとえ。

3　□にちょうちん

不必要なこと、むだなことのたとえ。

4　□の白袴《しろばかま》

他人のことにばかり忙しく、自分のことをするひまがないこと。

5　□先《さき》に立《た》たず

すでに終わったことに対してくやんでも、取り返しがつかないこと。

6　□人《ひと》を待《ま》たず

月日はどんどん過ぎ去ってしまうものだ。

7　□を踏《ふ》むが如《ごと》し

とても危険な状態にのぞむこと。

語群

［さいげつ　こういん
こうや　はくひょう　つきよ
もんじゅ　こうかい］

●正しいことわざ・慣用句になるように、次の―線を正しく直しましょう。

8　けがの功妙　（　　　）

何気なくしたことが、偶然よい結果をもたらすこと。

9　孫にも衣装《いしょう》　（　　　）

どんな人でも着飾れば立派に見えることのたとえ。

10　腹水盆《すいぼん》に返《かえ》らず　（　　　）

一度してしまったことは、取り返しがつかないことのたとえ。

11　団腸《ちょう》の思《おも》い　（　　　）

腸がちぎれるほどの悲しみやつらい思い。

12　隣《となり》の芝生《しばふ》は赤い　（　　　）

他人のものは、何でもよく見えるということ。

13　親のいぬ間《ま》に洗濯《せんたく》　（　　　）

怖い人、遠慮する人がいない間に、息抜きをしてくつろぐこと。

14　二階《にかい》から胃薬《ぐすり》　（　　　）

思うようにいかないこと、効果がおぼつかないことのたとえ。

15　餌を得《え》た魚《うお》　（　　　）

自分に合った場所を得て、大活躍すること。

54日目の答え

①ここち　②おもや（もや）　③びんじょう　④みやげ　⑤えたい　⑥こわもて　⑦ちんちょう　⑧もさ　⑨げねつ　⑩くせもの
⑪らんちょう　⑫まぶか　⑬じょうぶつ　⑭ごんげ　⑮さじき　⑯きょうきん　⑰しっぺい　⑱だし　⑲すいとう　⑳あんぎゃ

57日目 読めそうで読めない地名2

月　日
正解数　／20問

次の漢字を読みましょう。

1 奥入瀬（青森県《あおもりけん》）（　　）

2 小布施（長野県《ながのけん》）（　　）

3 碓氷峠（群馬県《ぐんまけん》・長野県《ながのけん》）（　　）

4 慶良間（沖縄県《おきなわけん》）（　　）

5 斑鳩（奈良県《ならけん》）（　　）

6 女満別（北海道《ほっかいどう》）（　　）

7 潮来（茨城県《いばらきけん》）（　　）

8 九品仏（東京都《とうきょうと》）（　　）

9 納沙布岬（北海道《ほっかいどう》）（　　）

10 讃岐（香川県《かがわけん》）（　　）

次の温泉地の名前を読みましょう。

11 鳴子（宮城県《みやぎけん》）（　　）

12 石和（山梨県《やまなしけん》）（　　）

13 指宿（鹿児島県《かごしまけん》）（　　）

14 白浜（和歌山県《わかやまけん》）（　　）

15 寒河江（山形県《やまがたけん》）（　　）

16 由布院（大分県《おおいたけん》）（　　）

17 下呂（岐阜県《ぎふけん》）（　　）

18 酸ヶ湯（青森県《あおもりけん》）（　　）

19 鬼怒川（栃木県《とちぎけん》）（　　）

20 伊香保（群馬県《ぐんまけん》）（　　）

55日目の答え

①おい　②めい　③いとこ（じゅうしまい）　④はとこ　⑤おとうと　⑥いもうと　⑦ぎけい　⑧むこ　⑨しゅうとめ（しゅうと）　⑩いとこちが　⑪にょうぼう（にょうぼ）　⑫さいくん　⑬れいしつ　⑭かない　⑮おないぎ（ごないぎ・おかみ）　⑯しゅじん（あるじ）　⑰ていしゅ　⑱だんな　⑲たく　⑳はんりょ

58日目 書けそうで書けない四字熟語2

月　日
正解数　／16問

●次の□にあてはまる漢字を書きましょう。

1 □《い》□《ふう》堂堂《どうどう》
雰囲気や態度にいげんがあって、堂々としていること。

2 □《し》□《こう》錯誤《さくご》
いろいろとこころみては失敗を繰り返しながら、目的にせまっていくこと。

3 □《もん》外《がい》不《ふ》□《しゅつ》
大切なものなどを外に持ちだしたり、公開したりしないこと。

4 名誉《めいよ》□《ばん》□《かい》
一度失った評判や信用を取り戻すこと。

5 □《む》我《が》□《む》中《ちゅう》
物事に熱中しすぎて、ほかのことを顧みないこと。

6 □《ふ》和《わ》□《らい》同《どう》
自分の意見がなく、ただ他人の意見に賛同すること。

7 一《いっ》□《しょく》□《そく》発《はつ》
少しさわっただけでも、すぐに爆発しそうなこと。危機が差し迫った状態を指す。

8 意気《いき》□《しょう》□《ちん》
気力がなくなって、しょげてしまうこと。

●次の四字熟語から間違っている漢字を一つ探し、正しましょう。

9 新機一転《しんきいってん》 誤（　　）→正（　　）
あることがきっかけで、気持ちががらっと変わること。

10 異句同音《いくどうおん》 誤（　　）→正（　　）
たくさんの人が、同じことを言うこと。多くの人の意見や説が一致すること。

11 大胆不適《だいたんふてき》 誤（　　）→正（　　）
度胸があって、恐れを知らないこと。

12 公平無視《こうへいむし》 誤（　　）→正（　　）
何事にも偏らず、利己的な感情を挟まないこと。

13 大器晩生《たいきばんせい》 誤（　　）→正（　　）
すぐれた才能がある人は世に出てせいこうするのが遅いことのたとえ。

14 正真正明《しょうしんしょうめい》 誤（　　）→正（　　）
疑いようがないほど、本物であること。

15 同行異曲《どうこういきょく》 誤（　　）→正（　　）
違っているように見えるが、実は同じようなやり方のこと。

16 快投乱麻《かいとうらんま》 誤（　　）→正（　　）
難しいことを、あざやかに解決すること。

56日目の答え
①文殊　②光陰　③月夜　④紺屋　⑤後悔　⑥歳月　⑦薄氷　⑧名　⑨馬子　⑩覆　⑪断　⑫青　⑬鬼　⑭目　⑮水

郵便はがき

ハガキ用の
切手を
しっかり
貼ってください

1 4 1 - 8 4 1 6

東京都品川区西五反田2−11−8
18階

（株）Gakken
大人の学び事業部
パズルチーム

改訂版　脳が活性化する
大人の漢字脳ドリル　係

ご住所（〒　　　-　　　　）

電話　　　　　　　　　　FAX
　　　　　　　　　　　　Eメール

お名前（ふりがな）　　　　　　　　　年齢

---

①ご記入いただいた個人情報（住所や名前など）は、プレゼントの抽選と商品・サービスのご案内、企画開発のため、などに使用いたします。②お寄せいただいた個人情報に関するお問い合わせは、https://www.corp-gakken.co.jp/contact/よりお問い合わせください。③当社の個人情報保護については当社ホームページ
https://www.ccrp-gakken.co.jp/privacypolicy/ をご覧ください。④個人情報に関して御同意いただけましたら、お申し込みください。⑤発行元　(株)Gakken　東京都品川区西五反田2-11-8
代表取締役社長　五郎丸徹

この度はご購読いただき、ありがとうございました。
今後の企画開発の参考のため、ご意見をお聞かせください。

1．この本を何で知りましたか？あてはまるものに○を。
①書店で見て　②インターネットの検索
③友人知人のすすめ　④その他（　　　　　　）

2．本書の感想・ご意見をご自由にお書きください。

3．本書のパズルの感想を、次の記号でお答えください。
とてもおもしろかった◎、おもしろかった○、普通△、おもしろくなかった
①すらすら読みたい＆書きたい常識漢字
②うっかり間違えやすい漢字
③植物・動物・自然にまつわる漢字
④歴史に出てくる漢字　⑤暮らしに役立つ漢字

4．本書の問題の難易度は？あてはまるものに○を。
①難しかった　②少し難しかった　③ちょうどいい
④少しやさしかった　⑤やさしかった

改訂版漢字　ご協力ありがとうございました。

59日目 書き間違いに気をつけたい漢字

月　日　正解数　／20問

●次の□にあてはまる漢字を書きましょう。

1 民生《みんせい》□《い》□《いん》を務《つと》める。

2 山歩《やまある》きの□《き》□《せつ》になった。

3 実験《じっけん》データを□《ぶん》□《せき》する。

4 光《ひかり》が□《くっ》□《せつ》する。

5 たっぷりと□《すい》□《みん》をとる。

6 □《ちゃく》□《がん》点《てん》が優《すぐ》れている。

7 □《おん》□《だん》な気候《きこう》。

8 部屋《へや》の□《しつ》□《ど》は三十《さんじっ》％だ。

9 政界《せいかい》を退《しりぞ》いて□《いん》□《きょ》する。

10 □《ぶ》□《なん》な意見《いけん》を述《の》べる。

11 労働者《ろうどうしゃ》の□《ちん》□《ぎん》。

12 □《か》□《もつ》列車《れっしゃ》が通過《つうか》する。

13 □《ち》□《かく》の変動《へんどう》が起《お》きる。

14 □《ざっ》□《こく》米《まい》を食《た》べる。

15 □《じゅん》□《かん》式《しき》の温泉《おんせん》。

16 大会《たいかい》の優勝《ゆうしょう》旗《き》の□《へん》□《かん》。

17 旧友《きゅうゆう》と□《ぐう》□《ぜん》再会《さいかい》した。

18 彼女《かのじょ》の□《きょう》□《ぐう》に同情《どうじょう》する。

19 □《じ》□《まん》話《ばなし》を聞《き》かされる。

20 注意力《ちゅういりょく》が□《さん》□《まん》になる。

57日目の答え

①おいらせ　②おぶせ　③うすいとうげ　④けらま　⑤いかるが　⑥めまんべつ　⑦いたこ　⑧くほんぶつ　⑨のさっぷみさき　⑩さぬき　⑪なるこ　⑫いさわ　⑬いぶすき　⑭しらはま　⑮さがえ　⑯ゆふいん　⑰げろ　⑱すかゆ　⑲きぬがわ　⑳いかほ

60日目

書けそうで書けない仕事に関する漢字

月　日
正解数　／20問

●次の□にあてはまる漢字を書きましょう。

1 販売《はんばい》□《せん》□《りゃく》を立《た》てる。

2 □《そう》□《む》課《か》に届《とど》けを出《だ》す。

3 □《かみ》□《はん》□《き》の決算月《けっさんづき》。

4 業務《ぎょうむ》を□《こう》□《りつ》化《か》する。

5 □《けい》□《ひ》節減《せつげん》に努《つと》める。

6 □《きゅう》□《しん》力《りょく》のあるリーダー。

7 有利《ゆうり》な□《けい》□《やく》を結《むす》ぶ。

8 台湾《たいわん》の企業《きぎょう》と□《がっ》□《ぺい》する。

9 □《こう》□《けい》者《しゃ》を育成《いくせい》する。

10 毎月《まいつき》の□《きゅう》□《よ》を記録《きろく》する。

11 設計《せっけい》を□《て》□《が》ける。

12 交渉《こうしょう》が□《だ》□《けつ》する。

13 育児《いくじ》□《きゅう》□《か》を取得《しゅとく》する。

14 □《は》□《けん》社員《しゃいん》に仕事《しごと》を頼《たの》む。

15 社員《しゃいん》の□《たい》□《ぐう》を改善《かいぜん》する。

16 □《こう》□《せい》年金額《ねんきんがく》を計算《けいさん》する。

17 高《たか》い□《しゅう》□《えき》性《せい》を維持《いじ》する。

18 銀行《ぎんこう》から□《ゆう》□《し》を受《う》ける。

19 外国人《がいこくじん》を□《こ》□《よう》する。

20 同業他社《どうぎょうたしゃ》と□《てい》□《けい》する。

58日目の答え

①威風　②試行　③門・出　④挽回　⑤無・夢　⑥付（附）・雷　⑦触即　⑧消沈　⑨新→心　⑩句→口　⑪適→敵　⑫視→私
⑬生→成　⑭明→銘　⑮行→工　⑯投→刀

61日目 読み間違いに気をつけたい漢字2

月　日

正解数　／20問

●次の漢字を読みましょう。

1 順延（　　　）

2 出廷（　　　）

3 隔離（　　　）

4 融通（　　　）

5 擬態（　　　）

6 凝固（　　　）

7 悔恨（　　　）

8 侮辱（　　　）

9 年俸（　　　）

10 鉄棒（　　　）

11 新緑（　　　）

12 因縁（　　　）

13 困惑（　　　）

14 共感（　　　）

15 逃（　　　）す

16 兆（　　　）す

17 待（　　　）つ

18 持（　　　）つ

19 捉（　　　）える

20 促（　　　）す

59日目の答え

①委員　②季節　③分析　④屈折　⑤睡眠　⑥着眼　⑦温暖　⑧湿度　⑨隠居　⑩無難　⑪賃金（賃銀）　⑫貨物　⑬地殻　⑭雑穀　⑮循環　⑯返還　⑰偶然　⑱境遇　⑲自慢　⑳散漫

62日目 読み間違えやすい漢字4

月　日　正解数　／20問

●次の漢字を読みましょう。

1 結納（　　）
2 亡者（　　）
3 繁盛（　　）
4 福音（　　）
5 手綱（　　）
6 号泣（　　）
7 読経（　　）
8 遊説（　　）
9 投網（　　）
10 嫌悪（　　）

●次の漢字の読みを、〔　〕のあとの読み以外に、もう一つ書きましょう。

例 河川敷　かせんしき・かせんじき

11 固執〔　　〕・こしつ
12 河岸〔　　〕・かわぎし
13 寒気〔　　〕・さむけ
14 貼付〔　　〕・てんぷ
15 依存〔　　〕・いぞん
16 発足〔　　〕・はっそく
17 御用達〔　　〕・ごようたつ・ごようだち
18 早急〔　　〕・そうきゅう
19 他人事〔　　〕・たにんごと
20 続柄〔　　〕・ぞくがら

60日目の答え

①戦略　②総務　③上半期　④効率　⑤経費　⑥求心　⑦契約　⑧合併　⑨後継　⑩給与　⑪手掛（手懸）　⑫妥結　⑬休暇　⑭派遣　⑮待遇　⑯厚生　⑰収益　⑱融資　⑲雇用　⑳提携

第3章

植物・動物・自然にまつわる漢字

63日目 気候にまつわる漢字1

月　日

正解数　／20問

●次の□にあてはまる漢字を書きましょう。

1 □《たい》□《ふう》五号《ごごう》が発生《はっせい》した。

2 □《はる》□《いち》□《ばん》が吹《ふ》く。

3 猛《もう》□《ふ》□《ぶき》になる。

4 強《つよ》い□《こ》□《が》らしが吹《ふ》く。

5 窓《まど》の□《けつ》□《ろ》をふき取《と》る。

6 □《しも》□《ばしら》が立《た》つ。

7 □《ねっ》□《たい》□《や》が続《つづ》く。

8 夜空《よぞら》に□《いな》□《ずま》が光《ひか》る。

9 山《やま》で□《じゅ》□《ひょう》を見《み》た。

10 今年《ことし》は□《から》□《つ》□《ゆ》かな。

●次の漢字を読みましょう。

11 花曇（　　）り

12 時化（　　）

13 小糠雨（　　）

14 常夏（　　）

15 黄昏（　　）

16 風花（　　）

17 牡丹雪（　　）

18 野分（　　）

19 陽炎（　　）

20 霧雨（　　）

61日目の答え

①じゅんえん　②しゅってい　③かくり　④ゆうずう（ゆうづう）　⑤ぎたい　⑥ぎょうこ　⑦かいこん　⑧ぶじょく　⑨ねんぼう　⑩てつぼう（かなぼう）　⑪しんりょく　⑫いんねん　⑬こんわく　⑭きょうかん　⑮のが　⑯きざ　⑰ま　⑱も　⑲とら　⑳うなが

64日目

動物の漢字1

月　日

正解数　／20問

●次の漢字を読みましょう。

1 河馬（　　）
2 駱駝（　　）
3 兎（　　）
4 虎（　　）
5 麒麟（　　）
6 鼠（　　）
7 驢馬（　　）
8 啄木鳥（　　）
9 縞馬（　　）
10 象（　　）

●あてはまる漢字を語群から選んで書きましょう。

11 マムシ（　　）
12 ダチョウ（　　）
13 モズ（　　）
14 ビーバー（　　）
15 カモシカ（　　）
16 ヤギ（　　）
17 シジュウカラ（　　）
18 トナカイ（　　）
19 モグラ（　　）
20 ハクビシン（　　）

語群

〔駝鳥　四十雀　百舌　海狸
山羊　馴鹿　羚羊　白鼻芯
土竜　蝮〕

62日目の答え

①ゆいのう　②もうじゃ　③はんじょう　④ふくいん　⑤たづな　⑥ごうきゅう　⑦どきょう（どっきょう）　⑧ゆうぜい　⑨とあみ　⑩けんお　⑪こしゅう　⑫かし　⑬かんき　⑭ちょうふ　⑮いそん　⑯ほっそく　⑰ごようたし　⑱さっきゅう　⑲ひとごと　⑳つづきがら

65日目 植物にまつわる漢字1

月　日
正解数　／20問

●次の漢字を読みましょう。

1 金木犀（　　）
2 桜（　　）
3 福寿草（　　）
4 撫子（　　）
5 鳳仙花（　　）
6 柊（　　）
7 鶏頭（　　）
8 百合（　　）
9 紫陽花（　　）
10 菊（　　）

●あてはまる漢字を語群から選んで書きましょう。

11 いちょう（　　）
12 ぼたん（　　）
13 ろうばい（　　）
14 あやめ（　　）
15 しゃくなげ（　　）
16 こすもす（　　）
17 へちま（　　）
18 ひまわり（　　）
19 たんぽぽ（　　）
20 こちょうらん（　　）

語群
〔胡蝶蘭　秋桜　石楠花
向日葵　糸瓜　蠟梅　銀杏
蒲公英　牡丹　菖蒲〕

63日目の答え
①台風（颱風）　②春一番　③吹雪　④木枯　⑤結露　⑥霜柱　⑦熱帯夜　⑧稲妻　⑨樹氷　⑩空梅雨　⑪はなぐも　⑫しけ
⑬こぬかあめ　⑭とこなつ　⑮たそがれ（こうこん）　⑯かざはな（かざばな）　⑰ぼたんゆき（ぼたゆき）
⑱のわけ（のわき）　⑲かげろう（ようえん）　⑳きりさめ

66日目 動物に関係のあることわざ・慣用句1

月　日

正解数　／12問

●次の□にあてはまる漢字を書きましょう。

1　□《うま》の耳《みみ》に念仏《ねんぶつ》

いくら意見や忠告をしても、まったく聞き入れないことのたとえ。

2　立《た》つ□《とり》跡《あと》を□《にご》さず

立ち去るときは、後始末をちゃんとしておかないといけない。引き際は潔くしなくてはいけない。

3　とらぬ狸《たぬき》の□《かわ》□《ざん》用《よう》

まだ手に入るかどうかもわからないうちから当てにして、あれこれと計画を立てること。

4　蟻《あり》の□《あな》から□《つつみ》も崩《くず》れる

ごくわずかな油断や不注意から、取り返しがつかなくなるほどの大惨事がおきることのたとえ。

5　□《じゃ》の道《みち》は□《へび》

同類のものは、お互いがその事情について容易に察することができることのたとえ。

6　犬《けん》□《えん》の仲《なか》

とても仲が悪いことのたとえ。

7　ひょうたんから□《こま》

思いがけないことが実現してしまうこと。

8　□《ぶた》に真珠《しんじゅ》

高い価値があるものでも、その価値がわからないものには無意味であるということ。

●次の各組の□に共通してあてはまる、動物を表す漢字を書きましょう。

9　□の威《い》を借《か》る狐《きつね》

権力者の力に頼っていばる、つまらない者のたとえ。

張《は》り子《こ》の□

見かけだけで、実際は強くもえらくもないもの。

10　□の涙《なみだ》

ほんの少しであることのたとえ。

□百《ひゃく》まで踊《おど》り忘《わす》れず

小さいときに身につけた習慣は、年をとっても抜けきれないということ。

11　泣《な》き面《つら》に□

不幸や不運が重なることのたとえ。

虻《あぶ》□取《と》らず

あれもこれも欲しがって、結局どちらも取れないこと。

12　一寸《いっすん》の□にも五分《ごぶ》の魂《たましい》

どんなに小さくて弱い者にも、それ相当の意地があるから侮ってはいけないということ。

飛《と》んで火《ひ》に入《い》る夏《なつ》の□

自分から進んで、災いに身を投じることのたとえ。

64日目の答え

①かば　②らくだ　③うさぎ　④とら　⑤きりん　⑥ねずみ　⑦ろば　⑧きつつき（たくぼくちょう）　⑨しまうま　⑩ぞう　⑪蝮　⑫駝鳥　⑬百舌　⑭海狸　⑮羚羊　⑯山羊　⑰四十雀　⑱馴鹿　⑲土竜　⑳白鼻芯

67日目 地学にまつわる漢字1

月　日

正解数　／20問

●次の漢字を読みましょう。

1 明星（　　）

2 乙女座（　　）

3 曇天（　　）

4 衛星（　　）

5 風雨（　　）

6 泡雪（　　）

7 牽牛星（　　）

8 十六夜（　　）

9 不知火（　　）

10 昴（　　）

●次の□にあてはまる漢字を書きましょう。

11 □《ち》□《きゅう》の歴史《れきし》を知《し》る。

12 西《にし》の空《そら》の□《み》□《か》□《づき》。

13 □《ほく》□《と》七星《しちせい》を探《さが》す。

14 太陽系《たいようけい》の□《わく》□《せい》。

15 □《う》□《ちゅう》食《しょく》の試食《ししょく》。

16 □《ふた》□《ご》座《ざ》は見《み》つけやすい。

17 太陽《たいよう》の□《こく》□《てん》を観察《かんさつ》する。

18 □《うん》□《かい》を見《み》下《お》ろすホテル。

19 □《えん》□《てん》下《か》でテニスをする。

20 □《りゅう》□《ひょう》の中《なか》を進《すす》む砕氷船《さいひょうせん》。

65日目の答え

①きんもくせい　②さくら　③ふくじゅそう　④なでしこ　⑤ほうせんか　⑥ひいらぎ　⑦けいとう　⑧ゆり　⑨あじさい（しようか）
⑩きく　⑪銀杏　⑫牡丹　⑬蠟梅　⑭菖蒲　⑮石楠花　⑯秋桜　⑰糸瓜　⑱向日葵　⑲蒲公英　⑳胡蝶蘭

68日目 動物に関係のある四字熟語

月　日

正解数　／16問

●次の□にあてはまる漢字を書きましょう。

1 □《ば》□《じ》東風《とうふう》

人の意見に少しもみみを貸さず、聞き流すことのたとえ。

2 猪《ちょ》□《とつ》猛《もう》□《しん》

ものすごい勢いで、周りをまったく見ずにつきすすむこと。

3 □《りゅう》頭《とう》□《だ》尾《び》

始めはすばらしいが、終わりはつまらなくなることのたとえ。

4 一《いっ》□《せき》二《に》□《ちょう》

一つのことをして、二つの利益を得ること。

5 □《ぎゅう》飲《いん》□《ば》食《しょく》

たくさんの酒を飲み、たくさんの食事をすることのたとえ。

6 □《こ》□《し》眈眈《たんたん》

機会を狙っている様子をいう。

7 □《よう》□《とう》狗肉《くにく》

見かけは立派だが、実際は内容をともなわないこと。

8 花《か》□《ちょう》風月《ふうげつ》

自然の美しい景色。また、風流な遊びのこと。

9 南船北《なんせんほく》□《ば》

絶えず旅行をしていることのたとえ。

10 □《し》□《し》奮迅《ふんじん》

ししが奮い立つように、勢いが激しいことのたとえ。

11 □《しん》□《しょう》風景《ふうけい》

こころの中に描いた具体的な風景。

12 有《う》□《ぞう》無《む》□《ぞう》

形あるものとないもののすべて。また、いくらでもいるつまらない人たち。

13 画《が》□《りょう》点睛《てんせい》

物事を完成させるための最後の仕上げ。また、わずかなことで全体がひきたつたとえ。

14 四月《しがつ》□《ば》□《か》

エープリル・フールのこと。

15 □《けい》鳴狗盗《めいくとう》

つまらないことしかできない人のたとえ。

16 意馬心《いばしん》□《えん》

煩悩のために情が動いて落ち着かないことのたとえ。

66日目の答え

①馬　②鳥・濁　③皮算　④穴・堤　⑤蛇・蛇　⑥猿　⑦駒　⑧豚　⑨虎　⑩雀　⑪蜂　⑫虫

69日目 気候にまつわる漢字2

月　日

正解数　／20問

●次の漢字を読みましょう。

1 夕凪（　　）

2 氷柱（　　）

3 梅雨寒（　　）

4 入梅（　　）

5 東風（　　）

6 春霞（　　）

7 雪解（　　）け

8 雹（　　）

9 台風（　　）

10 曙（　　）

●雨にかかわる言葉になるように、次の□にあてはまる漢字を書きましょう。

11 □《はる》□《さめ》

12 □《な》□《たね》梅雨《づゆ》

13 □《さ》□《みだ》□《れ》

14 □《らい》□《う》

15 □《ゆう》□《だち》

16 □《きり》□《さめ》

17 □《しぐ》□《れ》

18 □《ひ》□《さめ》

19 □《あま》□《だ》れ

20 □《ばく》□《う》

67日目の答え

①みょうじょう　②おとめざ　③どんてん　④えいせい　⑤ふうう　⑥あわゆき　⑦けんぎゅうせい　⑧いざよい（じゅうろくや）
⑨しらぬい（しらぬひ）　⑩すばる　⑪地球　⑫三日月　⑬北斗　⑭惑星　⑮宇宙　⑯双子　⑰黒点　⑱雲海　⑲炎天　⑳流氷

70日目 植物にまつわることわざ・慣用句

月　日　正解数　／15問

●次の□にあてはまる漢字を書きましょう。

1　まかぬ□《たね》は生《は》えぬ
原因がなければ、結果が生まれるわけがない。何もしないでよい結果は得られない。

2　隣《となり》の□《しば》□《ふ》は青《あお》い
他人のものは、何でもよく見えるということ。

3　□《い》わぬが花《はな》
はっきりいわないほうがいいということ。

4　□《か》れ□《き》も山《やま》のにぎわい
つまらないものでも、ないよりはあったほうがいいということのたとえ。

5　□《むい》日《か》の菖蒲《あやめ》、十日《とおか》の□《きく》
時機に遅れて、役に立たないことのたとえ。

6　木《き》に□《たけ》を接《つ》ぐ
筋道が通らないことのたとえ。

7　火中《かちゅう》の□《くり》を拾《ひろ》う
他人のために危険をおかすことのたとえ。

8　寄《よ》らば□《たい》□《じゅ》の蔭《かげ》
頼る相手を選ぶなら、勢力のある者のほうがよいということ。

●次の□にあてはまる漢字を語群から選んで書きましょう。

9　桃栗三年《ももくりさんねん》□八年《はちねん》
何でも成功するには、それ相応の年数が必要だということ。

10　雨後《うご》の□
同じような物事が次々に出てくることのたとえ。

11　□一葉《ひとは》
滅びるきざしの象徴。

12　□食《く》う虫《むし》も好《す》き好《ず》き
辛くて苦いたでを好んで食べる虫もあるように、人の好みはさまざまだということ。

13　転《ころ》がる石《いし》には□が生《は》えぬ
よく働く人が、いつも元気なことのたとえ。また、たびたび職や住居を変えるのはよくないことのたとえ。

14　□に雪《ゆき》折《お》れなし
堅剛より柔軟なほうが物事に耐えられるということのたとえ。

15　□に鶯《うぐいす》
取り合わせのよい二つのもののたとえ。

語群〔蓼《たで》　苔《こけ》　梅《うめ》　柿《かき》　柳《やなぎ》　筍《たけのこ》　桐《きり》〕

68日目の答え
①馬耳　②突・進　③竜・蛇　④石・鳥　⑤牛・馬　⑥虎視　⑦羊頭　⑧鳥　⑨馬　⑩獅子　⑪心象　⑫象・象　⑬竜　⑭馬鹿　⑮鶏　⑯猿

地学にまつわる漢字2

月　日　正解数　／20問

●次の漢字を読みましょう。

1 地平線（　　）

2 薫風（　　）

3 初霜（　　）

4 暗雲（　　）

5 夜霧（　　）

6 鰯雲（　　）

7 東雲（　　）

8 隕石（　　）

9 百葉箱（　　）

10 朝靄（　　）

●次の□にあてはまる漢字を書きましょう。

11 雨《あめ》上《あ》がりに□《にじ》が出《で》る。

12 □《てん》□《き》□《ず》を読《よ》む。

13 □《い》□《て》座《ざ》は夏《なつ》の星座《せいざ》だ。

14 山頂《さんちょう》に残《のこ》る□《ふん》□《か》□《こう》。

15 □《ぎん》□《が》□《けい》にある星雲《せいうん》。

16 最《もっと》も明《あか》るい□《こう》□《せい》シリウス。

17 今日《きょう》は□《あま》の川《がわ》が見《み》える。

18 衛星《えいせい》が□《き》□《どう》に乗《の》る。

19 □《き》□《しょう》□《ちょう》の台風情報《たいふうじょうほう》。

20 □《めい》□《おう》星《せい》を観測《かんそく》する。

69日目の答え

①ゆうなぎ　②つらら（ひょうちゅう）　③つゆざむ　④にゅうばい　⑤こち（とうふう・ひがしかぜ）　⑥はるがすみ　⑦ゆきど　⑧ひょう　⑨たいふう　⑩あけぼの　⑪春雨　⑫菜種　⑬五月雨　⑭雷雨　⑮夕立　⑯霧雨　⑰時雨　⑱氷雨　⑲雨垂　⑳麦雨

72日目 動物の漢字2

月　日
正解数　／20問

●次の漢字を読みましょう。

1 井守（　　　）
2 禿鷲（　　　）
3 鶴（　　　）
4 錦蛇（　　　）
5 朱鷺（　　　）
6 山椒魚（　　　）
7 野兎（　　　）
8 狼（　　　）
9 日本猿（　　　）
10 豹（　　　）

●あてはまる漢字を語群から選んで書きましょう。

11 サギ（　　　）
12 ブッポウソウ（　　　）
13 アヒル（　　　）
14 シマウマ（　　　）
15 ホトトギス（　　　）
16 ジュウシマツ（　　　）
17 オウム（　　　）
18 シカ（　　　）
19 ヒグマ（　　　）
20 タカ（　　　）

語群
〔鷹　時鳥　家鴨　十姉妹
仏法僧　鸚鵡　羆　縞馬　鷺
鹿〕

70日目の答え
①種　②芝生　③言　④枯・木　⑤六・菊　⑥竹　⑦栗　⑧大樹　⑨柿　⑩筍　⑪桐　⑫蓼　⑬苔　⑭柳　⑮梅

73日目 植物にまつわる四字熟語

月　日

正解数　／16問

●次の漢字を読みましょう。

1 枝葉末節（　　　　）
本質からはなれた、ささいな部分。

2 虞美人草（　　　　）
ヒナゲシの別称。

3 花鳥諷詠（　　　　）
俳句で、花や鳥など自然界の様子や、それにともなう人事を客観的によむこと。

4 白砂青松（　　　　）
海岸などの美しい風景のこと。

5 金枝玉葉（　　　　）
皇族のこと。

6 落花流水（　　　　）
お互いが思い合うことのたとえ。

7 草根木皮（　　　　）
草の根と木の皮。転じて漢方薬のこと。

8 花天月地（　　　　）
春の花が開いたときの月夜の風景。

●次の□にあてはまる漢字を書きましょう。

9 一《いち》□《れん》托《たく》□《しょう》
仲間とともに、行動や運命をともにすること。

10 柳《りゅう》□《りょく》花《か》紅《こう》
春の美しい景色のたとえ。自然のままで手が加えられていないことのたとえ。

11 百《ひゃっ》□《か》繚《りょう》□《らん》
さまざまなはなが咲きみだれること。転じて優れた人が、一度にたくさん現れること。

12 □《きょう》花《か》水《すい》月《げつ》
目には見えているが、手に取りにくいもののたとえ。

13 □《しゅ》□《じゅ》雑《ざっ》多《た》
いろいろなものが入り交じっている様子。

14 落《らっ》□《か》狼《ろう》藉《ぜき》
ものが散らかっている様子。

15 羞《しゅう》□《か》閉《へい》月《げつ》
きわめて美しい女性のたとえ。

16 □《こ》□《ぼく》死《し》灰《かい》
生気がなく情熱がないことのたとえ。また、俗心がないことのたとえ。

71日目の答え

①ちへいせん　②くんぷう　③はつしも　④あんうん　⑤よぎり　⑥いわしぐも　⑦しののめ（とううん）　⑧いんせき　⑨ひゃくようばこ（ひゃくようそう）　⑩あさもや　⑪虹　⑫天気図　⑬射手　⑭噴火口　⑮銀河系　⑯恒星　⑰天　⑱軌道　⑲気象庁　⑳冥王

74日目 気候に関係のある四字熟語

月　日
正解数　／16問

●次の□にあてはまる漢字を書きましょう。

1 □《たい》□《ふう》一過《いっか》
たいふうが過ぎること。また、そのあとの晴天。

2 天《てん》□《ぺん》□《ち》異《い》
天空とちじょうに現れる、自然災害や不思議な現象のこと。

3 □《ふう》光《こう》□《めい》媚《び》
景色が清らかで美しく、人の心をひくこと。

4 天《てん》地《ち》□《しん》□《めい》
天地のあらゆるかみがみ。

5 □《つ》□《つ》浦浦《うらうら》
国内のいたるところ。国のすみずみまで。

6 三《さん》□《かん》四《し》□《おん》
冬、三日ほどさむい日が続き、そのあと四日くらいあたたかい日が続くこと。

7 □《こ》□《はる》日和《びより》
初冬のころの、はるのようにあたたかく晴れた日。

8 □《せい》高《こう》□《とう》低《てい》
日本付近の気圧配置のひとつ。冬によくあり、にしの気圧が高くなり、ひがしの気圧が低くなる。

●次の漢字を読みましょう。

9 森羅万象（　　　　）
宇宙間に存在するありとあらゆることや、現象のこと。

10 山紫水明（　　　　）
山水の美しい風景のたとえ。

11 深山幽谷（　　　　）
人里離れた、誰も足を踏み入れないような奥深い山や谷。

12 晴好雨奇（　　　　）
晴れの日も雨の日も景色がよく、それぞれ趣が異なること。

13 暗雲低迷（　　　　）
おそろしいことがおこりそうな様子。

14 晴耕雨読（　　　　）
悠々自適の生活をすること。

15 秋霜烈日（　　　　）
刑罰や権威などがとても厳しい様子。

16 百鬼夜行（　　　　）
多くの悪人が、わがもの顔にふるまうこと。

72日目の答え

①いもり　②はげわし　③つる　④にしきへび　⑤とき　⑥さんしょううお　⑦のうさぎ　⑧おおかみ　⑨にほんざる　⑩ひょう
⑪鷺　⑫仏法僧　⑬家鴨　⑭縞馬　⑮時鳥　⑯十姉妹　⑰鸚鵡　⑱鹿　⑲羆　⑳鷹

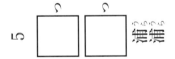

75日目 植物にまつわる漢字2

月　日

正解数　／20問

●次の漢字を読みましょう。

1 緋寒桜（　　　　）

2 桔梗（　　　　）

3 蕨（　　　　）

4 荏胡麻（　　　　）

5 女郎花（　　　　）

6 百日紅（　　　　）

7 皐月（　　　　）

8 山茶花（　　　　）

9 蒲公英（　　　　）

10 明日葉（　　　　）

●次の植物の名前を漢字で書きましょう。

11 あさがお（　　　　）

12 すいせん（　　　　）

13 つゆくさ（　　　　）

14 つきみそう（　　　　）

15 ゆず（　　　　）

16 そめいよしの（　　　　）

17 ひがんばな（　　　　）

18 ほたるぶくろ（　　　　）

19 ははこぐさ（　　　　）

20 はす（　　　　）

73日目の答え

①しようまっせつ　②ぐびじんそう　③かちょうふうえい　④はくしゃせいしょう（はくさせいしょう）　⑤きんしぎょくよう　⑥らっかりゅうすい　⑦そうこんもくひ（そうこんぼくひ）　⑧かてんげっち　⑨蓮・生　⑩緑　⑪花・乱　⑫鏡　⑬種種　⑭花　⑮花　⑯枯木

76日目 気候に関係のあることわざ・慣用句

月　日　正解数　／16問

●次の□にあてはまる漢字を書きましょう。

1　馬《うま》の□《せ》を分《わ》ける
夕立などが局地的に降っていること。

2　女心《おんなごころ》と□《あき》の空《そら》
男性に対する女性の心は、あきの空模様のように変わりやすいというたとえ。

3　天高《てんたか》く馬肥《うまこ》ゆる□《あき》
空が澄みきって、馬も肥えるような収穫の季節のこと。

4　□《あめ》降《ふ》って□《じ》固《かた》まる
争い事があったあとは、前よりも物事がうまくいく。

5　□《あき》風《かぜ》が立《た》つ
恋人間の愛情がさめること。

6　雨晴《あめは》れて□《かさ》を忘《わす》る
苦難のときが去ると、そのときに受けた恩を忘れてしまうことのたとえ。

7　□《くも》をつかむような話《はなし》
漠然として、とらえどころがない話。

8　□《かみなり》が落《お》ちる
目上の人から頭ごなしにガミガミ怒られること。

●次の□にあてはまる漢字を語群から選んで書きましょう。

9　□とすっぽん
二つのものの間が、とてもかけ離れていること。

10　□を食《く》う
俗世間から離れて暮らすことのたとえ。

11　□の前《まえ》の静《しず》けさ
異変前の不気味な静まり方。

12　地震《じしん》□火事親父《かじおやじ》
世の中でとても怖いとされているものの順。

13　袖《そで》に□おく
涙で袖がぬれること。

14　干天《かんてん》の慈《じ》□
晴天が何日も続いたあとに降る恵みのあめのこと。

15　夕《ゆう》□百日《ひゃくにち》の旱《ひでり》
夕方にじが出るのは、晴天が続くしるし。

16　小寒《しょうかん》の□大寒《だいかん》に解《と》く
大寒が小寒よりも暖かいこと。物事は、必ずしも順番どおりにはいかないことをいう。

語群〔露《つゆ》　嵐《あらし》　雨《う》　霞《かすみ》　雷《かみなり》　氷《こおり》　虹《にじ》　月《つき》〕

74日目の答え

①台風　②変地　③風・明　④神明　⑤津津　⑥寒・温　⑦小春　⑧西・東　⑨しんらばんしょう　⑩さんしすいめい　⑪しんざんゆうこく　⑫せいこううき　⑬あんうんていめい　⑭せいこううどく　⑮しゅうそうれつじつ　⑯ひゃっきやこう（ひゃっきやぎょう）

77日目 季節・暦にまつわる漢字1

月　日

正解数　／20問

●次の漢字を読みましょう。

1 二十四節気（　　）

2 干支（　　）

3 雪吊（　　）り

4 雨水（　　）

5 芒種（　　）

6 蟬時雨（　　）

7 穀雨（　　）

8 更衣（　　）

9 晦日（　　）

10 白露（　　）

●次の月の異名を漢字で書きましょう。

11 しょしゅん（　　）

12 さくらづき（　　）

13 やよい（　　）

14 うづき（　　）

15 みなづき（　　）

16 ふみづき（　　）

17 ばんしゅう（　　）

18 かんなづき（　　）

19 しもつき（　　）

20 しわす（　　）

75日目の答え

①ひかんざくら　②ききょう　③わらび　④えごま　⑤おみなえし（おみなめし）　⑥さるすべり（ひゃくじつこう）　⑦さつき　⑧さざんか　⑨たんぽぽ　⑩あしたば　⑪朝顔　⑫水仙　⑬露草　⑭月見草　⑮柚（柚子）　⑯染井吉野　⑰彼岸花　⑱蛍袋（山小菜）　⑲母子草　⑳蓮

78日目 水族館で見かける動物の漢字

月　日

正解数　／20問

●次の漢字を読みましょう。

1 烏賊（　　）
2 目高（　　）
3 鰯（　　）
4 雀鯛（　　）
5 海豚（　　）
6 蟹（　　）
7 海亀（　　）
8 鯵（　　）
9 金魚（　　）
10 鱒（　　）

●次の動物を表す漢字を語群から選んで書きましょう。

11 アザラシ（　　）
12 ジンベエザメ（　　）
13 フグ（　　）
14 タチウオ（　　）
15 ヒトデ（　　）
16 ハマグリ（　　）
17 イソギンチャク（　　）
18 ヤマメ（　　）
19 イワナ（　　）
20 クラゲ（　　）

語群
〔蛤　海豹　甚兵衛鮫　山女
磯巾着　太刀魚　河豚　岩魚
海月　海星〕

76日目の答え

①背　②秋　③秋　④雨・地　⑤秋　⑥笠　⑦雲　⑧雷　⑨月　⑩霞　⑪嵐　⑫雷　⑬露　⑭雨　⑮虹　⑯氷

79日目 季節・暦にまつわる漢字2

月　日
正解数　／25問

●次の―線にあてはまる漢字を書きましょう。

1 しおひ狩《が》り（　　）
2 うちみず（　　）（　　）
3 ぼんおどり（　　）
4 かがみ開《びら》き（　　）
5 げし（六月二十一日頃《ろくがつにじゅういちにちごろ》）（　　）
6 たんご（五月五日《ごがついつか》の節句《せっく》）（　　）
7 春《はる》のひがん（春分《しゅんぶん》の日《ひ》を中心《ちゅうしん》にした七日間《なのかかん》）（　　）
8 ちょうよう（九月九日《くがつここのか》の節句《せっく》）（　　）
9 せつぶん（立春《りっしゅん》の前日《ぜんじつ》）（　　）
10 だいかん（一月二十一日頃《いちがつにじゅういちにちごろ》）（　　）

●それぞれの季節の季語を語群から三つずつ選んで、ひらがなで書きましょう。

11 新年《しんねん》（　　）（　　）（　　）
12 春《はる》（　　）（　　）（　　）
13 夏《なつ》（　　）（　　）（　　）
14 秋《あき》（　　）（　　）（　　）
15 冬《ふゆ》（　　）（　　）（　　）

語群
〔囲炉裏　破魔矢　苗代
団扇　歳暮　初詣　仲秋
蚊帳　紅葉狩り　寒稽古
屠蘇　雛祭り　玉蜀黍
万緑　山笑う〕

77日目の答え

①にじゅうしせっき　②えと（かんし）　③ゆきつ（ゆきづ）　④うすい（あまみず）　⑤ぼうしゅ　⑥せみしぐれ　⑦こくう
⑧ころもがえ（こうい）　⑨みそか（つごもり）　⑩はくろ（しらつゆ）　⑪初春　⑫桜月　⑬弥生　⑭卯月　⑮水無月　⑯文月
⑰晩秋　⑱神無月　⑲霜月　⑳師走

80日目 天気予報で聞くのに書けない漢字

月　日

正解数　／20問

●次の□にあてはまる漢字を書きましょう。

1 □《せき》□《らん》□《うん》が発達《はったつ》する。

2 □《こう》□《き》□《あつ》が張《は》り出《だ》す。

3 □《さくら》□《ぜん》□《せん》が北上《ほくじょう》する。

4 □《さ》□《つき》□《ば》れの日《ひ》。

5 一時的《いちじてき》に□《はな》□《び》えとなる。

6 気象《きしょう》□《えい》□《せい》の画像《がぞう》。

7 初《はつ》□《かん》□《せつ》の便《たよ》りが届《とど》く。

8 □《はだ》□《さむ》い一日《いちにち》となる。

9 □《のう》□《む》注意報《ちゅういほう》が出《で》ている。

10 □《ふゆ》□《しょう》□《ぐん》の到来《とうらい》。

11 大《だい》□《かん》□《ぱ》が襲来《しゅうらい》する。

12 三十五度以上《さんじゅうごどいじょう》の□《もう》□《しょ》日《び》。

13 沖縄《おきなわ》が□《つ》□《ゆ》入《い》りする。

14 □《か》□《ふん》が飛《と》ぶ季節《きせつ》。

15 □《らく》□《らい》注意報《ちゅういほう》が発令《はつれい》される。

16 □《ひ》え□《こ》みが厳《きび》しくなる。

17 □《じょう》□《しょう》□《き》□《りゅう》の発生《はっせい》。

18 □《たつ》□《まき》が起《お》こる。

19 気象庁《きしょうちょう》の□《こう》□《さ》情報《じょうほう》。

20 □《とっ》□《ぷう》に注意《ちゅうい》！

78日目の答え

①いか ②めだか ③いわし ④すずめだい ⑤いるか ⑥かに ⑦うみがめ ⑧あじ ⑨きんぎょ ⑩ます ⑪海豹 ⑫甚兵衛鮫 ⑬河豚 ⑭太刀魚 ⑮海星 ⑯蛤 ⑰磯巾着 ⑱山女 ⑲岩魚 ⑳海月

81日目 動物に関係のあることわざ・慣用句2

月　日

正解数　／15問

● 次の□にあてはまる漢字を書きましょう。

1 □《おに》に金棒《かなぼう》

それを手に入れることによって、強いものがもっと強くなることのたとえ。

2 □《ねこ》の首《くび》に鈴《すず》をつける

名案だが、実行するには難しいことのたとえ。

3 井《い》の中《なか》の□《かわず》大海《たいかい》を知《し》らず

見識が狭く、ほかに広い世界があることを知らない。

4 藪《やぶ》をつついて□《へび》を出《だ》す

不必要なことをして、かえって災いを受けること。

5 □《ば》齢《れい》を重《かさ》ねる

むだに年を重ねること。

6 □《きつね》につままれる

思いがけないことがおこってわけがわからなくなり、ぼんやりすること。

7 水清《みずきよ》ければ□《うお》棲《す》まず

あまりに清すぎると、かえって人から疎んじられるということ。

8 飼《か》い□《いぬ》に□《て》をかまれる

かわいがっていた者から、裏切られること。

● 次の（　）にあてはまる動物を、語群から選んで書きましょう。

9 （　　　）の行水《ぎょうずい》

短時間で入浴を済ますこと。

10 腐《くさ》っても（　　　）

もともとすぐれた価値を持つものは、多少傷ついてもそれなりに価値があるということ。

11 （　　　）も鳴《な》かずばうたれまい

余計なことを言ったばかりに、災いを招いてしまうことのたとえ。

12 （　　　）の川流《かわなが》れ

どんな名人でも、ときには失敗することがあるということ。

13 柳《やなぎ》の下《した》の（　　　）

一度うまくいったからといって、同じやり方では、そうそううまくいかないということ。

14 掃《は》き溜《だ》めに（　　　）

つまらないところに、すぐれたものが入っているたとえ。

15 （　　　）が豆鉄砲《まめでっぽう》を食《く》ったよう

突然のことに驚いて、目を丸くしている様子。

語群
〔鯛《たい》　泥鰌《どじょう》　河童《かっぱ》　鶴《つる》　鳩《はと》　烏《からす》　雉《きじ》〕

79日目の答え

①潮干　②打・水　③盆踊　④鏡　⑤夏至　⑥端午　⑦彼岸　⑧重陽　⑨節分　⑩大寒　⑪新年…はまや・はつもうで・とそ
⑫春…なわしろ・ひなまつり・やまわらう　⑬夏…うちわ・かや・ばんりょく　⑭秋…ちゅうしゅう・もみじがり・とうもろこし
⑮冬…いろり・せいぼ（さいぼ）・かんげいこ

82日目 山で見かける植物の漢字

月　日　正解数 ／20問

●次の漢字を読みましょう。

1 団栗（　　　　）

2 矢車草（　　　　）

3 杉（　　　　）

4 山桃（　　　　）

5 白樺（　　　　）

6 小楢（　　　　）

7 樫（　　　　）

8 桐（　　　　）

9 櫟（　　　　）

10 栗（　　　　）

●次の植物を表す漢字を語群から選んで書きましょう。

11 こまくさ（　　　　）

12 りんどう（　　　　）

13 かたくり（　　　　）

14 ききょう（　　　　）

15 いたどり（　　　　）

16 われもこう（　　　　）

17 わさび（　　　　）

18 うど（　　　　）

19 やどりぎ（　　　　）

20 くろゆり（　　　　）

語群

〔桔梗　独活　駒草　黒百合
吾亦紅　竜胆　宿り木　虎杖
片栗　山葵〕

80日目の答え

①積乱雲　②高気圧　③桜前線　④五月晴　⑤花冷　⑥衛星　⑦冠雪　⑧肌寒　⑨濃霧　⑩冬将軍　⑪寒波　⑫猛暑　⑬梅雨　⑭花粉　⑮落雷　⑯冷・込　⑰上昇気流　⑱竜巻　⑲黄砂　⑳突風

【漢字豆知識】

日本で生まれた漢字「国字」とは?

私たちがふつうに使っている漢字は、約 2000 年前に中国から日本に伝わってきたものです。その数は 5 万字以上あるといわれ、そのうちの下にあげてある漢字は、「国字《こくじ》」と呼ばれるものです。漢字の伝来後に、日本で作られたいわば「和製漢字」のことです。日本の文化や生活、風土を表すもの、キログラムなど日本語にはない外来語を表記するために作られました。

国字の中で最も多いのが、偏に「魚」がつく漢字です。日本が海に囲まれていて、魚介類が最も身近な食材のひとつであることから、たくさん作られたと考えられます。国字を知ることは、日本の文化や生活、風土を知ることにもなります。たとえば「畑」という漢字も国字ですが、中国では田も畑も「田」で表記します。それぞれの面積が広く、田や畑はまったく別の場所にあるので、区別する必要がなかったのですが、日本は、田や畑が近くにあり区別するために、畑という漢字が作られたといいます。

漢和辞典には、[国字] のマークがついています。どれが国字なのか探しながら引いてみましょう。

●主な国字の例

いわし	鰯
たら	鱈
なまず	鯰
きす	鱚
あさり	鯏
かじか	鰍
とうげ	峠
なぎ	凪
たこ	凧
はたはた	鰰
さかき	榊
とち	栃
かし	樫
かみしも	裃
はなし	噺
しつけ	躾
わく	枠
こうじ	糀
こがらし	凩
はたけ	畑
はたら(く)	働

第4章

教養がアップ！歴史に出てくる漢字

83日目 よく出てくるのに間違える歴史用語1

月　日
正解数　／20問

●次の漢字を読みましょう。

1 御家人（　　　　）

2 朝廷（　　　　）

3 迎賓館（　　　　）

4 白鳳文化（　　　　）

5 律令制（　　　　）

6 元寇（　　　　）

7 土一揆（　　　　）

8 公家（　　　　）

9 征夷大将軍（　　　　）

10 太政大臣（　　　　）

●次の□にあてはまる漢字を書きましょう。

11 □《りん》□《ざい》宗《しゅう》

12 □《てん》□《しゅ》閣《かく》

13 □《や》□《よい》時《じ》代《だい》

14 □《てん》□《ぴょう》文《ぶん》化《か》

15 □《と》□《ざま》大名《だいみょう》

16 □《あ》□《づち》城《じょう》

17 □《けん》□《とう》使《し》

18 万葉《まんよう》□《しゅう》

19 京《きょう》都《と》□《ご》□《しょ》

20 □《みっ》□《きょう》美《び》術《じゅつ》

81日目の答え

①鬼　②猫　③蛙　④蛇　⑤馬　⑥狐　⑦魚　⑧犬・手　⑨烏　⑩鯛　⑪雉　⑫河童　⑬泥鰌　⑭鶴　⑮鳩

84日目

すらすら読みたい歴史上の人物1

月　日

正解数　／20問

次の漢字を読みましょう。

1 小野妹子（　　）

2 上杉謙信（　　）

3 藤原頼通（　　）

4 卑弥呼（　　）

5 天智天皇（　　）

6 田中正造（　　）

7 真田信繁（　　）

8 北里柴三郎（　　）

9 藤原鎌足（　　）

10 豊臣秀吉（　　）

11 井伊直弼（　　）

12 夏目漱石（　　）

13 親鸞（　　）

14 木戸孝允（　　）

15 菅原道真（　　）

16 織田信長（　　）

17 平将門（　　）

18 徳川慶喜（　　）

19 大久保利通（　　）

20 足利尊氏（　　）

82日目の答え

①どんぐり　②やぐるまそう　③すぎ　④やまもも　⑤しらかば　⑥こなら　⑦かし　⑧きり　⑨ぶな　⑩くり　⑪駒草　⑫竜胆
⑬片栗　⑭桔梗　⑮虎杖　⑯吾亦紅　⑰山葵　⑱独活　⑲宿り木　⑳黒百合

85日目 覚えておきたい歴史上のできごと・事件1

月　日　正解数　／20問

●次の―線の漢字を読みましょう。

1 承久の乱《らん》（　　）

2 建武の新政《しんせい》（　　）

3 白村江の戦《たたか》い（　　）

4 百姓一揆《いっき》（　　）

5 黄海海戦《かいせん》（　　）

6 壬申の乱《らん》（　　）

7 下剋上（　　）

8 蒙古襲来《しゅうらい》（　　）

9 応仁・文明の乱《らん》（　　）

10 朱印船《せん》（　　）

●次の□にあてはまる漢字を書きましょう。

11 幕末《ばくまつ》の□《どう》□《らん》。

12 御《ご》□《せい》□《ばい》式目《しきもく》の制定《せいてい》。

13 京都北山《きょうときたやま》に□《きん》□《かく》をつくる。

14 □《さん》□《ごく》同盟《どうめい》の結成《けっせい》。

15 □《さくら》□《だ》□《もん》外《がい》の変《へん》。

16 江戸城《えどじょう》の□《む》□《けつ》開城《かいじょう》。

17 □《けん》□《ぽう》十七条《じゅうしちじょう》の制定《せいてい》。

18 将軍《しょうぐん》が大政《たいせい》□《ほう》□《かん》する。

19 □《たい》□《ほう》律令《りつりょう》の制定《せいてい》。

20 □《たい》□《か》の改新《かいしん》。

83日目の答え

①ごけにん　②ちょうてい　③げいひんかん　④はくほうぶんか　⑤りつりょうせい　⑥げんこう　⑦どいっき（つちいっき）　⑧くげ　⑨せいいたいしょうぐん　⑩だいじょうだいじん（だじょうだいじん）　⑪臨済　⑫天守　⑬弥生　⑭天平　⑮外様　⑯安土　⑰遣唐　⑱集　⑲御所　⑳密教

86日目

おさえておきたい歴史上の人物1

月　日

正解数　／20問

●次の漢字を読みましょう。

1 聖徳太子（　　　）

2 徳川綱吉（　　　）

3 大隈重信（　　　）

4 武田信玄（　　　）

5 岩倉具視（　　　）

6 明智光秀（　　　）

7 紫式部（　　　）

8 伊藤博文（　　　）

9 空海（　　　）

10 蘇我入鹿（　　　）

●次の□にあてはまる漢字を書きましょう。

11 後《ご》□《しら》□《かわ》法皇《ほうおう》

12 土方《ひじかた》□《とし》□《ぞう》

13 源《みなもとの》□《より》□《とも》

14 源《みなもとの》□《よし》□《つね》

15 勝《かつ》□《かい》□《しゅう》

16 □《かん》□《む》天皇《てんのう》

17 北条《ほうじょう》□《まさ》□《こ》

18 吉田《よしだ》□《しょう》陰《いん》

19 □《だ》□《て》政宗《まさむね》

20 福沢《ふくざわ》□《ゆ》□《きち》

84日目の答え

①おののいもこ　②うえすぎけんしん　③ふじわらのよりみち　④ひみこ　⑤てんじてんのう　⑥たなかしょうぞう
⑦さなだのぶしげ　⑧きたさとしばさぶろう（きたざとしばさぶろう）　⑨ふじわらのかまたり　⑩とよとみひでよし　⑪いいなおすけ
⑫なつめそうせき　⑬しんらん　⑭きどたかよし　⑮すがわらのみちざね　⑯おだのぶなが　⑰たいらのまさかど
⑱とくがわよしのぶ　⑲おおくぼとしみち　⑳あしかがたかうじ

87日目 すらすら読みたい歴史上の地名1

月　日

正解数　／20問

●次の漢字を読みましょう。

1　桶狭間（愛《あい》知《ち》県《けん》）（　　　）

2　対馬（長《なが》崎《さき》県《けん》）（　　　）

3　堺（大《おお》阪《さか》府《ふ》）（　　　）

4　飯盛山（福《ふく》島《しま》県《けん》）（　　　）

5　九十九里浜（千《ち》葉《ば》県《けん》）（　　　）

6　手賀沼（千《ち》葉《ば》県《けん》）（　　　）

7　新発田（新《にい》潟《がた》県《けん》）（　　　）

8　種子島（鹿《か》児《ご》島《しま》県《けん》）（　　　）

9　近江（滋《し》賀《が》県《けん》）（　　　）

10　桂浜（高《こう》知《ち》県《けん》）（　　　）

11　唐津（佐《さ》賀《が》県《けん》）（　　　）

12　高千穂（宮《みや》崎《ざき》県《けん》）（　　　）

13　東山（京《きょう》都《と》府《ふ》）（　　　）

14　因幡（鳥《とっ》取《とり》県《けん》）（　　　）

15　生野（京《きょう》都《と》府《ふ》）（　　　）

16　浦賀（神《か》奈《な》川《がわ》県《けん》）（　　　）

17　斑鳩（奈《な》良《ら》県《けん》）（　　　）

18　長久手（愛《あい》知《ち》県《けん》）（　　　）

19　南都（奈《な》良《ら》県《けん》）（　　　）

20　壬生（京《きょう》都《と》府《ふ》）（　　　）

85日目の答え

①じょうきゅう　②けんむ　③はくそんこう（はくすきのえ）　④ひゃくしょう　⑤こうかい　⑥じんしん　⑦げこくじょう　⑧もうこ　⑨おうにん・ぶんめい　⑩しゅいん　⑪動乱　⑫成敗　⑬金閣　⑭三国　⑮桜田門　⑯無血　⑰憲法　⑱奉還　⑲大宝　⑳大化

88日目 歴史に出てくる四字熟語1

月　日

正解数　／16問

●次の□にあてはまる漢字を書きましょう。

1 一《いち》□《もう》打《だ》□《じん》

一味の者を一度にとらえてしまうこと。

2 呉越《ごえつ》□《どう》□《しゅう》

仲が悪い者どうしが一緒にいること。また、敵味方が力を合わせ困難などに対して協力すること。

3 □《たい》□《ぎ》名分《めいぶん》

人として、また君主に仕える者として守らなければならない道理。また、行動を起こすための、はっきりした理由。

4 酒《しゅ》□《ち》肉《にく》□《りん》

贅《ぜい》の限りを尽くしたごちそうや宴会のたとえ。

5 □《せっ》磋《さ》琢《たく》□《ま》

互いに励ましあって、学や徳をみがくこと。また、学問に励んでやまないさま。

6 起《き》死《し》□《かい》□《せい》

死にかけていたものをよみがえらせること。また、立ち直らせること。

7 遠《えん》□《こう》近《きん》□《こう》

遠い国と親しくしておいて近い国をせめ、その後遠い国にせめ込んでいくこと。

8 □《せん》□《せい》攻撃《こうげき》

せん手をとり、敵を攻めること。

●次の漢字を読みましょう。

9 四面楚歌（　　　）

周囲がすべて敵か、反対を唱える者であることのたとえ。

10 明眸皓歯（　　　）

澄んだ瞳と白い歯。美人を形容する言葉。

11 一期一会（　　　）

一生に一度限りであること。

12 臨戦態勢（　　　）

戦いに臨む態勢ができている状態。

13 孟母三遷（　　　）

子供の教育には、環境が大切だということ。

14 朝三暮四（　　　）

目先にばかりこだわって、同じ結果になることに気が付かないこと。口先だけで人をだますこと。

15 公武合体（　　　）

朝廷と幕府の提携による政局安定策。

16 曲学阿世（　　　）

真理を曲げてでも世の中の人に気に入られるような話をして、こびへつらうこと。

86日目の答え

①しょうとくたいし　②とくがわつなよし　③おおくましげのぶ　④たけだしんげん　⑤いわくらともみ　⑥あけちみつひで　⑦むらさきしきぶ　⑧いとうひろぶみ　⑨くうかい　⑩そがのいるか　⑪白河　⑫歳三　⑬頼朝　⑭義経　⑮海舟　⑯桓武　⑰政子　⑱松　⑲伊達　⑳諭吉

89日目 歴史好きなら知っておきたい言葉1

月　日
正解数　／20問

●次の漢字を読みましょう。

1 記紀（　　）
2 南蛮人（　　）
3 足軽（　　）
4 院政（　　）
5 守護（　　）
6 琵琶法師（　　）
7 冥加金（　　）
8 引付衆（　　）
9 六波羅探題（　　）
10 太閤検地（　　）

●次の□にあてはまる漢字を書きましょう。

11 □《おん》□《ごく》奉行《ぶぎょう》の任命《にんめい》。
12 □《いっ》□《こう》一揆《いっき》が起《お》きる。
13 将軍《しょうぐん》□《じき》□《さん》の旗本《はたもと》。
14 □《たか》□《ゆか》倉庫《そうこ》の復元《ふくげん》。
15 □《わ》□《どう》開珎《かいちん》を入手《にゅうしゅ》する。
16 □《けん》□《ずい》使《し》の物語《ものがたり》。
17 □《こく》□《だか》を調《しら》べる。
18 □《ちょう》□《てい》に仕《つか》えた貴族《きぞく》。
19 □《こう》□《し》は儒教《じゅきょう》の祖《そ》だ。
20 鎌倉《かまくら》□《ばく》□《ふ》の政治《せいじ》。

87日目の答え

①おけはざま　②つしま　③さかい　④いいもりやま　⑤くじゅうくりはま　⑥てがぬま　⑦しばた　⑧たねがしま　⑨おうみ
⑩かつらはま　⑪からつ　⑫たかちほ　⑬ひがしやま　⑭いなば　⑮いくの　⑯うらが　⑰いかるが　⑱ながくて　⑲なんと　⑳みぶ

90日目 おさえておきたい歴史上の人物2

月　日　正解数　／18問

●次の漢字を読みましょう。

1 新井白石（　　）

2 板垣退助（　　）

3 坂本龍馬（　　）

4 大村益次郎（　　）

5 高杉晋作（　　）

6 大塩平八郎（　　）

7 緒方洪庵（　　）

8 坂上田村麻呂（　　）

9 新島襄（　　）

10 佐々成政（　　）

●次の、日本の仏教にかかわりの深い人物の名前を語群から選んで書きましょう。

11 にちれん（鎌倉《かまくら》時代《じだい》）（　　）

12 ほうねん（平安《へいあん》・鎌倉《かまくら》時代《じだい》）（　　）

13 ぎょうき（奈良《なら》時代《じだい》）（　　）

14 がんじん（奈良《なら》時代《じだい》）（　　）

15 さいちょう（平安《へいあん》時代《じだい》）（　　）

16 しょうむ天皇《てんのう》（奈良《なら》時代《じだい》）（　　）

17 いっぺん（鎌倉《かまくら》時代《じだい》）（　　）

18 どうげん（鎌倉《かまくら》時代《じだい》）（　　）

語群
〔法然　最澄　一遍　鑑真
聖武　日蓮　行基　道元〕

88日目の答え

①網・尽　②同舟　③大義　④池・林　⑤切・磨　⑥回生　⑦交・攻　⑧先制　⑨しめんそか　⑩めいぼうこうし　⑪いちごいちえ　⑫りんせんたいせい　⑬もうぼさんせん　⑭ちょうさんぼし　⑮こうぶがったい　⑯きょくがくあせい

91日目 すらすら書きたい日本文化の重要人物1

月　日

正解数　／20問

●次の漢字を読みましょう。

1 狩野元信（　　）

2 与謝蕪村（　　）

3 本居宣長（　　）

4 世阿弥（　　）

5 雪舟（　　）

6 近松門左衛門（　　）

7 尾形光琳（　　）

8 十返舎一九（　　）

9 森鷗外（　　）

10 柿本人麻呂（　　）

●次の□にあてはまる漢字を書きましょう。

11 清少《せいしょう》□《な》□《ごん》

12 歌川《うたがわ》□《ひろ》□《しげ》

13 小《こ》林《ばやし》□《いっ》□《さ》

14 太宰《だざい》□《おさむ》

15 井《い》原《はら》□《さい》□《かく》

16 正岡《まさおか》□《し》□《き》

17 葛飾《かつしか》□《ほく》□《さい》

18 □《よ》□《さ》□《の》晶子《あきこ》

19 幸《こう》田《だ》□《ろ》□《はん》

20 貝原《かいばら》□《えき》□《けん》

89日目の答え

①きき　②なんばんじん　③あしがる　④いんせい　⑤しゅご　⑥びわほうし　⑦みょうがきん　⑧ひきつけしゅう
⑨ろくはらたんだい　⑩たいこうけんち　⑪遠国　⑫一向　⑬直参　⑭高床　⑮和同　⑯遣隋　⑰石高　⑱朝廷　⑲孔子　⑳幕府

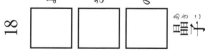

92日目 よく出てくるのに間違える歴史用語2

月　日　正解数　／20問

●次の□にあてはまる漢字を書きましょう。

1 □《さん》□《きん》交代《こうたい》の制度《せいど》。

2 □《へい》□《じょう》京《きょう》のあった場所《ばしょ》。

3 大陸《たいりく》からの□《と》□《らい》人《じん》。

4 鎌倉幕府《かまくらばくふ》の□《しっ》□《けん》。

5 江戸後期《えどこうき》の□《か》□《せい》文化《ぶんか》。

6 武家《ぶけ》□《しょ》□《はっ》□《と》。

7 □《なん》□《ばん》貿易《ぼうえき》。

8 □《せき》□《しょ》が廃止《はいし》された。

9 □《じょう》□《もん》時代《じだい》の土器《どき》。

10 □□《あすか》時代《じだい》の文化《ぶんか》。

●次の―線の漢字を読みましょう。

11 平安京《へいあんきょう》に遷都する。（　　）

12 王政復古の大号令《だいごうれい》を出《だ》す。（　　）

13 産業革命がはじまる。（　　）

14 邪馬台国に関《かん》する記述《きじゅつ》。（　　）

15 江戸時代《えどじだい》の譜代大名《だいみょう》。（　　）

16 雄藩が台頭《たいとう》する。（　　）

17 大宰府の長官《ちょうかん》。（　　）

18 藤原氏《ふじわらし》の摂関政治《せいじ》。（　　）

19 立派《りっぱ》な寝殿造《づくり》の住居《じゅうきょ》。（　　）

20 荘園の発達《はったつ》。（　　）

90日目の答え

①あらいはくせき　②いたがきたいすけ　③さかもとりょうま　④おおむらますじろう　⑤たかすぎしんさく　⑥おおしおへいはちろう　⑦おがたこうあん　⑧さかのうえのたむらまろ　⑨にいじまじょう　⑩さっさなりまさ　⑪日蓮　⑫法然　⑬行基　⑭鑑真　⑮最澄　⑯聖武　⑰一遍　⑱道元

93日目 歴史に出てくることわざ・慣用句1

月　日

正解数　／15問

●次の□にあてはまる漢字を書きましょう。

1 敵《てき》に□《しお》を送《おく》る
困難な境遇にある敵を助けること。

2 三顧《さんこ》の□《れい》
目上の人が、ある人に仕事を頼むため、十分にれいぎを尽くすこと。

3 □《ぶ》□《し》は食《く》わねど高楊枝《たかようじ》

4 □《な》いて馬謖《ばしょく》を斬《き》る
規律を守るためには、愛する者でもやむをえず処分する。

5 □《もと》の木阿弥《もくあみ》
いったんよい状態になったものが、再び悪い状態に戻ること。

6 泣《な》く子《こ》と□《じ》□《とう》には勝《か》てぬ
道理のわからない子供や権力者と争っても、勝ち目がないことをいう。

7 遠《とお》くて近《ちか》きは□《だん》□《じょ》の仲《なか》
おとことおんなの仲は、離れているようで結びつきやすいことのたとえ。

8 □《ひゃく》□《ねん》河清《かせい》を俟《ま》つ
いくら待っても実現することのない望み。

●次の（　）にあてはまる漢字を、語群から選んで書きましょう。

9 敵《てき》は（　　）にあり
本当の目的は別のところにある、ということ。

10 （　　）の舞台《ぶたい》から飛《と》び下《お》りる
大きな決断をするときの気持ちのたとえ。

11 （　　）にも筆《ふで》の誤《あやま》り
どんな名人でも、ときには誤りや失敗があるということ。

12 おごる（　　）は久《ひさ》しからず
地位や財力にまかせて勝手気ままにふるまうと、長く栄えることなく滅びてしまうということ。

13 一《いち》（　　）二鷹三茄子《にたかさんなすび》
初夢に見ると縁起のいいものを、順に並べた言葉。

14 （　　）の泣《な》き所《どころ》
向こうずねのこと。また、権力者の、人に触れられたくない弱点のこと。

15 （　　）の股《また》くぐり
将来の大きな目標のために、一時の恥をがまんすること。

語群
〔清水《きよみず》　富士《ふじ》　韓信《かんしん》　本能寺《ほんのうじ》　弘法《こうぼう》　弁慶《べんけい》　平家《へいけ》〕

91日目の答え

①かのうもとのぶ　②よさぶそん　③もとおりのりなが　④ぜあみ　⑤せっしゅう　⑥ちかまつもんざえもん　⑦おがたこうりん　⑧じっぺんしゃいっく　⑨もりおうがい　⑩かきのもとのひとまろ　⑪納言　⑫広重　⑬一茶　⑭治　⑮西鶴　⑯子規　⑰北斎　⑱与謝野　⑲露伴　⑳益軒

94日目 読めそうで読めない歴史用語

月　日　正解数　／20問

●次の漢字を読みましょう。

1 十二単（　　）
2 御伽草子（　　）
3 花押（　　）
4 鎖国（　　）
5 土偶（　　）
6 几帳（　　）
7 口分田（　　）
8 寛永通宝（　　）
9 廃刀令（　　）
10 直衣（　　）
11 儒学（　　）
12 改新の詔（　の　）
13 埴輪（　　）
14 銅鐸（　　）
15 飛脚（　　）
16 奴国（　　）
17 磨製石器（　　）
18 大和絵（　　）
19 流鏑馬（　　）
20 桂離宮（　　）

92日目の答え

①参勤（参覲）　②平城　③渡来　④執権　⑤化政　⑥諸法度　⑦南蛮　⑧関所　⑨縄文　⑩飛鳥　⑪せんと　⑫おうせいふっこ　⑬さんぎょうかくめい　⑭やまたいこく（やまとこく）　⑮ふだい　⑯ゆうはん　⑰だざいふ　⑱せっかん　⑲しんでん　⑳しょうえん

95日目 歴史に出てくることわざ・慣用句2

月　日
正解数　／14問

●次の□にあてはまる漢字を書きましょう。

1 勝《か》てば□《かん》□《ぐん》負《ま》ければ賊軍《ぞくぐん》

たとえ道理に合わなくても勝てば正しいこととなり、道理に合っていても負ければ悪いことになる。

2 □《あずま》□《おとこ》に京女《きょうおんな》

男女の組み合わせとしては、たくましくきっぷのよい江戸のおとこ、優雅で美しい京都の女がいいということ。

3 □《すい》が身《み》を食《く》う

芸事の世界に通じている人は、つい深入りして身を滅ぼすことになる。

4 □《かたな》折《お》れ□《や》尽《つ》きる

戦う手段がなくなること。物事を続ける手段がなくなること。

5 □《きん》□《とき》の火事見舞《かじみま》い

お酒を飲んでとても顔が赤いことのたとえ。

6 □《ねん》□《ぐ》の納《おさ》め時《どき》

悪いことをし続けた者がつかまって罪を償うとき。また、物事に見限りをつけてあきらめるとき。

7 □《ごう》に入《い》っては□《ごう》に従《したが》え

人は自分が住む土地の風俗や習慣に従うべきだということ。

●次の―線の漢字を読みましょう。

8 隗より始《はじ》めよ（　　）

物事を始めるときは、言い出した人から始めるべきだということ。

9 昔《むかし》とった杵柄（　　）

若いころに鍛えた腕前。

10 金の草鞋《わらじ》で尋《たず》ねる（　　）

根気よく探し回ること。

11 勝《か》って兜の緒《お》を締《し》めよ（　　）

成功しても油断せず、さらに慎重になれということ。

12 人間万事《にんげんばんじ》塞翁が馬《うま》（　　）

人生の幸不幸は予測しがたいということ。

13 鼎《かなえ》の軽重を問《と》う（　　）

権力者の実力を疑ってその地位を覆そうというたとえ。統治者を軽んじ、その地位や権力を奪おうとすること。

14 総領《そうりょう》の甚六（　　）

長男や長女は大事に育てられるので、その弟や妹よりお人よしだということ。

93日目の答え
①塩　②礼　③武士　④泣　⑤元　⑥地頭　⑦男女　⑧百年　⑨本能寺　⑩清水　⑪弘法　⑫平家　⑬富士　⑭弁慶　⑮韓信

96日目 覚えておきたい歴史上のできごと・事件2

月　日

正解数　／20問

● 次の——線の漢字を読みましょう。

1 天保《てんぽう》の大飢饉（　　　）

2 尊王攘夷運動《うんどう》の激化《げきか》。（　　　）

3 廃仏毀釈の運動《うんどう》が起《お》こった。（　　　）

4 三世一身の法《ほう》（　　　）

5 足利学校を設立する。（　　　）

6 観応の擾乱《じょうらん》が起《お》きる。（　　　）

7 平等院鳳凰堂《ほうおうどう》（　　　）

8 高松塚古墳《こふん》（　　　）

9 日光《にっこう》東照宮陽明門《ようめいもん》（　　　）

10 日英同盟の締結《ていけつ》。（　　　）

● □に入る漢字を書きましょう。

11 □《かわ》□《なか》□《じま》の戦《たたか》い

12 □《しょう》□《るい》憐《あわ》れみの令《れい》

13 □《あ》□《こう》浪士《ろうし》の討《う》ち入《い》り

14 □《ご》□《さん》□《ねん》の役《えき》

15 □《おう》□《にん》の乱《らん》

16 □《せき》ケ《が》□《はら》の戦《たたか》い

17 □《はん》□《でん》収授法《しゅうじゅのほう》

18 □《かたな》□《がり》令《れい》

19 □《さっ》□《ちょう》同盟《どうめい》

20 □《せい》□《なん》戦争《せんそう》

94日目の答え

①じゅうにひとえ　②おとぎぞうし　③かおう　④さこく　⑤どぐう　⑥きちょう　⑦くぶんでん　⑧かんえいつうほう　⑨はいとうれい　⑩のうし　⑪じゅがく　⑫かいしん・みことのり　⑬はにわ　⑭どうたく　⑮ひきゃく　⑯なこく（なのくに）　⑰ませいせっき　⑱やまとえ　⑲やぶさめ　⑳かつらりきゅう

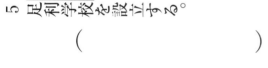

97日目

歴史に出てくる四字熟語2

月　日　正解数　／16問

次の□にあてはまる漢字を書きましょう。

1 □《ふう》林《りん》□《か》山《ざん》

かぜのようにすばやく動き、林のように静かにし、ひのように侵略し、山のようにどっしり構えること、という軍を動かすときの心構え。

2 □《ふ》国強《こくきょう》□《へい》

国の経済力を上げてへいりょくを強くすること。

3 □《ひゃく》□《せん》錬磨《れんま》

たたかいの経験を積んで、鍛えられること。

4 □《せん》□《せん》布告《ふこく》

他国に、せん争開始をせん言すること。

5 □《こう》地《ち》□《こう》民《みん》

すべての土地を国家のものとし、私有を認めない制度。

6 南《なん》□《せん》北《ほく》□《ば》

絶えずいろいろなところに旅行していること。

7 捲土《けんど》□《ちょう》□《らい》

一度失敗したものが、力を蓄えて再度巻き返すこと。

8 和《わ》□《こん》□《かん》才《さい》

日本固有の精神と中国の学問。また、この両者を融合させること。

次の漢字を読みましょう。

9 判官贔屓（　　　）

弱い者に対して同情したり、応援したりすること。

10 鶏口牛後（　　　）

大きな集団の末端より、小さい集団の長になったほうがいいというたとえ。

11 白河夜船（　　　）

ぐっすり寝ていて何事にもまったく気が付かないことのたとえ。

12 臥薪嘗胆（　　　）

仇討《あだう》ちするために自分の身を苦しめてその志を忘れないように励ますこと。目的の達成のための苦労に耐えること。

13 格物致知（　　　）

ものの道理をきわめて、知識や学問をよりきわめること。

14 会者定離（　　　）

会うものには、必ず別れが訪れるということ。

15 鎧袖一触（　　　）

少しの力で相手をたやすく打ち負かすこと。

16 乾坤一擲（　　　）

運命をかけて、のるかそるかの大勝負をすること。

95日目の答え

①官軍　②東男　③粋　④刀・矢　⑤金時　⑥年貢　⑦郷・郷　⑧かい　⑨きねづか　⑩かね　⑪かぶと　⑫さいおう　⑬けいちょう　⑭じんろく

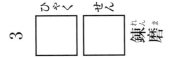

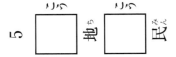

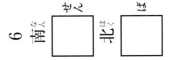

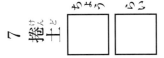

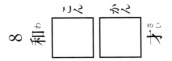

98日目 すらすら読みたい歴史上の地名2

月　日　正解数　／20問

●次の地名や建物の漢字を読みましょう。

1 壇ノ浦（山口県《やまぐちけん》）（　　　）

2 薬師寺（奈良県《ならけん》）（　　　）

3 龍安寺（京都府《きょうとふ》）（　　　）

4 門司城（福岡県《ふくおかけん》）（　　　）

5 鹿鳴館（東京都《とうきょうと》）（　　　）

6 倭（　　　）

7 中尊寺金色堂（岩手県《いわてけん》）（　　　）

8 室生寺（奈良県《ならけん》）（　　　）

9 延暦寺（滋賀県《しがけん》）（　　　）

10 金剛峯寺（和歌山県《わかやまけん》）（　　　）

11 正倉院（奈良県《ならけん》）（　　　）

12 鹿ヶ谷（京都府《きょうとふ》）（　　　）

13 比叡山（京都府《きょうとふ》・滋賀県《しがけん》）（　　　）

14 唐招提寺（奈良県《ならけん》）（　　　）

15 松任城（石川県《いしかわけん》）（　　　）

16 引田城（香川県《かがわけん》）（　　　）

17 五稜郭（北海道《ほっかいどう》）（　　　）

18 慈照寺（京都府《きょうとふ》）（　　　）

19 興福寺（奈良県《ならけん》）（　　　）

20 清洲城（愛知県《あいちけん》）（　　　）

96日目の答え

①だいききん　②そんのうじょうい　③はいぶつきしゃく　④さんぜいっしん　⑤あしかががっこう　⑥かんのう　⑦びょうどういん　⑧たかまつづか　⑨とうしょうぐう　⑩にちえいどうめい　⑪川中島　⑫生類　⑬赤穂　⑭後三年　⑮応仁　⑯関・原　⑰班田　⑱刀狩　⑲薩長　⑳西南

99日目

すらすら読みたい歴史上の人物2

月　日

正解数　／20問

●次の漢字を読みましょう。

1 推古天皇（　　　　）

2 前田利家（　　　　）

3 田沼意次（　　　　）

4 源実朝（　　　　）

5 伊能忠敬（　　　　）

6 吉備真備（　　　　）

7 斎藤道三（　　　　）

8 中大兄皇子（　　　　）

9 藤原道長（　　　　）

10 勝海舟（　　　　）

11 石田三成（　　　　）

12 毛利元就（　　　　）

13 道鏡（　　　　）

14 坂田藤十郎（　　　　）

15 後醍醐天皇（　　　　）

16 北条早雲（　　　　）

17 源頼朝（　　　　）

18 楠木正成（　　　　）

19 蓮如（　　　　）

20 平賀源内（　　　　）

97日目の答え

①風・火　②富・兵　③百戦　④宣戦　⑤公・公　⑥船・馬　⑦重来　⑧魂漢　⑨ほうがんびいき（はんがんびいき）
⑩けいこうぎゅうご　⑪しらかわよふね　⑫がしんしょうたん　⑬かくぶつちち　⑭えしゃじょうり　⑮がいしゅういっしょく
⑯けんこんいってき

100日目

よく出てくるのに間違える歴史用語3

月　日

正解数　/20問

●次の漢字を読みましょう。

1 宇治拾遺物語（　　）
2 更級日記（　　）
3 世間胸算用（　　）
4 方丈記（　　）
5 金槐和歌集（　　）
6 今昔物語集（　　）
7 東海道中膝栗毛（　　）
8 古今和歌集（　　）
9 増鏡（　　）
10 今様（　　）
11 天照大神（　　）
12 万葉仮名（　　）
13 日本武尊（　　）
14 錦絵（　　）
15 米騒動（　　）
16 除目（　　）
17 狩野派（　　）
18 脇息（　　）
19 元寇（　　）
20 元禄文化（　　）

98日目の答え

①だんのうら　②やくしじ　③りょうあんじ　④もじじょう　⑤ろくめいかん　⑥わ（やまと）　⑦ちゅうそんじこんじきどう　⑧むろうじ　⑨えんりゃくじ　⑩こんごうぶじ　⑪しょうそういん　⑫ししがたに　⑬ひえいざん　⑭とうしょうだいじ　⑮まっとうじょう　⑯ひけたじょう　⑰ごりょうかく　⑱じしょうじ　⑲こうふくじ　⑳きよすじょう

101日目 すらすら書きたい日本文化の重要人物2

月　日　正解数　／20問

●次の漢字を読みましょう。

1 鴨長明（　　　）
2 折口信夫（　　　）
3 紀友則（　　　）
4 菱川師宣（　　　）
5 小野小町（　　　）
6 二葉亭四迷（　　　）
7 大伴家持（　　　）
8 尾崎紅葉（　　　）
9 額田王（　　　）
10 千利休（　　　）

●次の□にあてはまる漢字を書きましょう。

11 斎藤《さいとう》□《も》□《きち》
12 □《い》□《ずみ》式部《しきぶ》
13 樋口《ひぐち》□《いち》□《よう》
14 □《けん》□《こう》法師《ほうし》
15 □《はなわ》保己一《ほきいち》
16 □《まる》□《やま》応挙《おうきょ》
17 藤原《ふじわらの》□《てい》□《か》
18 曲亭《きょくてい》□《ば》□《きん》
19 □《きた》□《おお》□《じ》魯山人《ろさんじん》
20 □《さい》□《ぎょう》法師《ほうし》

99日目の答え

①すいこてんのう　②まえだとしいえ　③たぬまおきつぐ　④みなもとのさねとも　⑤いのうただたか　⑥きびのまきび
⑦さいとうどうさん　⑧なかのおおえのおうじ　⑨ふじわらのみちなが　⑩かつかいしゅう　⑪いしだみつなり　⑫もうりもとなり
⑬どうきょう　⑭さかたとうじゅうろう　⑮ごだいごてんのう　⑯ほうじょうそううん　⑰みなもとのよりとも　⑱くすのきまさしげ
⑲れんにょ　⑳ひらがげんない

102日目

歴史好きなら知っておきたい言葉2

月　日

正解数　／20問

次の漢字を読みましょう。

1 琳派（　　）
2 検非違使（　　）
3 狩衣（　　）
4 黄表紙（　　）
5 校倉造（　　）
6 環濠集落（　　）
7 大名（　　）
8 防人（　　）
9 直垂（　　）
10 法隆寺（　　）
11 国造（　　）
12 枡形（　　）
13 数寄屋（　　）
14 朱印状（　　）
15 竪穴住居（　　）
16 洒落本（　　）
17 伽藍配置（　　）
18 末法思想（　　）
19 切妻破風（　　）
20 鉄砲狭間（　　）

100日目の答え

①うじしゅういものがたり　②さらしなにっき　③せけんむねさんよう　④ほうじょうき　⑤きんかいわかしゅう　⑥こんじゃくものがたりしゅう　⑦とうかいどうちゅうひざくりげ　⑧こきんわかしゅう　⑨ますかがみ　⑩いまよう　⑪あまてらすおおみかみ　⑫まんようがな　⑬やまとたけるのみこと　⑭にしきえ　⑮こめそうどう　⑯じもく　⑰かのうは　⑱きょうそく　⑲げんこう　⑳げんろくぶんか

103日目

読めたらうれしい歴史上の人物

月　日

正解数　/20問

●次の漢字を読みましょう。

1 新渡戸稲造（　　）
2 護良親王（　　）
3 山本五十六（　　）
4 安倍晴明（　　）
5 本阿弥光悦（　　）
6 南方熊楠（　　）
7 小西行長（　　）
8 松平定信（　　）
9 徳川光圀（　　）
10 俵屋宗達（　　）
11 支倉常長（　　）
12 武者小路実篤（　　）
13 内田百閒（　　）
14 徳川家茂（　　）
15 犬養毅（　　）
16 蘇我馬子（　　）
17 二宮尊徳（　　）
18 大石主税（　　）
19 藤原不比等（　　）
20 山上憶良（　　）

101日目の答え

①かものちょうめい　②おりくちしのぶ　③きのとものり　④ひしかわもろのぶ　⑤おののこまち　⑥ふたばていしめい　⑦おおともやかもち　⑧おざきこうよう　⑨ぬかたのおおきみ　⑩せんのりきゅう　⑪茂吉　⑫和泉　⑬一葉　⑭兼好　⑮塙　⑯円山　⑰定家　⑱馬琴　⑲北大路　⑳西行

第5章

知って得する！
暮らしに
役立つ漢字

104日目 日常生活でよく出てくる基本の漢字1

月　日　正解数　／20問

●次の漢字を読みましょう。

1 干渉（　　　）
2 画策（　　　）
3 示唆（　　　）
4 更新（　　　）
5 債務（　　　）
6 寡黙（　　　）
7 酷使（　　　）
8 悲惨（　　　）
9 波及（　　　）
10 摂取（　　　）

●次の□にあてはまる漢字を書きましょう。

11 戦前《せんぜん》の□《えい》□《ぞう》を見《み》る。
12 □《は》□《ぞん》食《しょく》を用意《ようい》する。
13 データを□《きょう》□《ゆう》する。
14 □《けい》□《ぞく》は力《ちから》なり
15 □《しょう》□《ひ》□《しゃ》の声《こえ》を聞《き》く。
16 □《はっ》□《こう》食品《しょくひん》を多《おお》くとる。
17 資金《しきん》を□《えん》□《じょ》する。
18 □《し》□《じつ》に基《もと》づいた逸話《いつわ》。
19 円《えん》□《そう》□《ば》が変動《へんどう》する。
20 ドアが□《とう》□《ぜん》開《ひら》く。

102日目の答え

①りんぱ ②けびいし ③かりぎぬ（かりごろも） ④きびょうし ⑤あぜくらづくり ⑥かんごうしゅうらく ⑦だいみょう ⑧さきもり ⑨ひたたれ ⑩ほうりゅうじ ⑪くにのみやつこ（こくぞう） ⑫ますがた ⑬すきや ⑭しゅいんじょう ⑮たてあなじゅうきょ ⑯しゃれぼん ⑰がらんはいち ⑱まっぽうしそう ⑲きりづまはふ ⑳てっぽうざま

105日目 人の体に関係のある漢字

月　日　正解数　／20問

●次の漢字を読みましょう。

1 肋骨（　　　　）

2 静脈（　　　　）

3 目眩（　　　　）

4 顎（　　　　）

5 膝蓋骨（　　　　）

6 筋肉（　　　　）

7 胡座（　　　　）

8 喉仏（　　　　）

9 肩甲骨（　　　　）

10 睫毛（　　　　）

●次の□にあてはまる漢字を書きましょう。

11 □《め》□《がしら》が熱《あつ》くなる。

12 □《はい》□《きん》を鍛《きた》える。

13 □《わき》□《ばら》が痛《いた》くなる。

14 □《い》□《ぶくろ》をつかむ。

15 □《わん》□《りょく》にものを言《い》わせる。

16 □《つち》□《ふ》まずがない。

17 □《は》□《ぐき》を刺激《しげき》する。

18 親指《おやゆび》の□《し》□《もん》。

19 耳《みみ》の□《こ》□《まく》。

20 □《こっ》□《ばん》のずれを正《ただ》す。

103日目の答え

①にとべいなぞう　②もりよししんのう（もりながしんのう）　③やまもといそろく　④あべのせいめい（はるあきら）
⑤ほんあみこうえつ　⑥みなかたくまぐす　⑦こにしゆきなが　⑧まつだいらさだのぶ　⑨とくがわみつくに　⑩たわらやそうたつ
⑪はせくらつねなが　⑫むしゃのこうじさねあつ　⑬うちだひゃっけん　⑭とくがわいえもち　⑮いぬかいつよし　⑯そがのうまこ
⑰にのみやそんとく　⑱おおいしちから　⑲ふじわらのふひと　⑳やまのうえのおくら

106日目

人間関係を表す漢字

月　日　正解数　／20問

●次の―線の漢字を読みましょう。

1 彼《かれ》は十年来《じゅうねんらい》の知己だ。（　　　）

2 憎悪に近《ちか》い感情《かんじょう》を抱《いだ》く。（　　　）

3 兄《あに》と弟《おとうと》の葛藤を描《えが》いた映画《えいが》。（　　　）

4 人《ひと》を虚仮にするなと怒《おこ》る。（　　　）

5 国王《こくおう》の食客となる。（　　　）

6 朋輩と酒《さけ》を飲《の》む。（　　　）

7 忌憚のない意見《いけん》を述《の》べる。（　　　）

8 派閥争《あらそ》いに巻《ま》き込《こ》まれる。（　　　）

9 幼《おさな》い頃《ころ》からの許嫁。（　　　）

10 友人《ゆうじん》を妬む。（　　　）

●次の□にあてはまる漢字を書きましょう。

11 □《ゆう》□《れつ》つけがたい。

12 生涯《しょうがい》の□《はん》□《りょ》を得《え》る。

13 喧嘩《けんか》した相手《あいて》と□《わ》□《かい》する。

14 首相《しゅしょう》の□《そっ》□《きん》の議員《ぎいん》。

15 子供《こども》に□《せい》□《えん》をおくる。

16 □《どう》□《りょう》の結婚式《けっこんしき》に出《で》る。

17 義兄弟《ぎきょうだい》の□《ちぎ》りを結《むす》ぶ。

18 監督《かんとく》□《こ》□《が》いの選手《せんしゅ》たち。

19 □《けい》□《べつ》したような笑《わら》い。

20 □《えん》□《りょ》のない間柄《あいだがら》。

104日目の答え

①かんしよう　②かくさく　③しさ（じさ）　④こうしん　⑤さいむ　⑥かもく　⑦こくし　⑧ひさん　⑨はきゆう　⑩せっしゅ
⑪映像　⑫保存　⑬共有　⑭継続　⑮消費者　⑯発酵（醱酵）　⑰援助　⑱史実　⑲相場　⑳突然

107日目 料理・食べ物のことわざ・慣用句1

月　日　正解数　／15問

●次の□にあてはまる漢字を書きましょう。

1 花《はな》より□《だん》□《ご》
風流なことよりも、利益につながるもののほうがよいということ。

2 青菜《あおな》に□《しお》
打ちひしがれて、うなだれていることのたとえ。

3 絵《え》に描《か》いた□《もち》
計画だけはしっかりしているが、実現の可能性がないこと。

4 □《さかな》は殿様《とのさま》に焼《や》かせよ
仕事には向き不向きがあるから、適任者を選ぶのがいいというたとえ。

5 □《い》□《しょく》足《た》りて礼節《れいせつ》を知《し》る
生活にゆとりができて初めて、礼儀に心を向けることができる。

6 腹《はら》が減《へ》っては□《いくさ》はできぬ
空腹では、何もできないということ。

7 腹八分《はらはちぶ》に□《い》□《しゃ》いらず
満腹になるまで食べず、八分目に抑えておけば、健康が維持できるということ。

8 冷《ひ》や□《めし》を食《く》う
職場などで冷遇される。また、居候をする。

●次の（　）にあてはまる漢字を語群から選んで書きましょう。

9 （　　　）は小粒《こつぶ》でもぴりりと辛《から》い
体は小さくても優れた才能があり、侮れないことのたとえ。

10 （　　　）が乗《の》る
調子が出て、仕事などがうまくいくこと。

11 （　　　）にかける
自ら世話をして、大事に育てること。

12 （　　　）の頭《あたま》も信心《しんじん》から
つまらないものでも、信仰の対象になるとありがたいものに思われること。

13 羹《あつもの》に懲《こ》りて（　　　）を吹《ふ》く
一度失敗したことに懲りて、必要以上に用心すること。

14 （　　　）に旨《うま》いものなし
周りの評判と実際とは必ずしも一致しないというたとえ。

15 （　　　）にかすがい
アドバイスをしても、全く手ごたえも効き目もないことのたとえ。

語群
〔脂《あぶら》　膾《なます》　豆腐《とうふ》　鰯《いわし》　山椒《さんしょう》
名物《めいぶつ》　手塩《てしお》〕

105日目の答え

①ろっこつ（あばらぼね）　②じょうみゃく　③めまい　④あご　⑤しつがいこつ　⑥きんにく　⑦あぐら（こざ）　⑧のどぼとけ　⑨けんこうこつ　⑩まつげ　⑪目頭　⑫背筋　⑬脇腹　⑭胃袋　⑮腕力　⑯土踏　⑰歯茎　⑱指紋　⑲鼓膜　⑳骨盤

108日目

食べ物に関する漢字

月　日

正解数　　／20問

●次の漢字を読みましょう。

1 胡瓜（　　　）

2 榎茸（　　　）

3 浅葱（　　　）

4 牡蠣（　　　）

5 茄子（　　　）

6 蒟蒻（　　　）

7 茗荷（　　　）

8 鱈場蟹（　　　）

9 生姜（　　　）

10 筍（　　　）

11 蕪（　　　）

12 海苔（　　　）

13 鮭（　　　）

14 鰆（　　　）

15 杏子（　　　）

16 鮪（　　　）

17 青梗菜（　　　）

18 胡桃（　　　）

19 羊羹（　　　）

20 寒天（　　　）

106日目の答え

①ちき　②ぞうお　③かっとう　④こけ　⑤しょっかく（しょっきゃく）　⑥ほうばい　⑦きたん　⑧はばつ
⑨いいなずけ（いいなづけ）　⑩ねた（そね）　⑪優劣　⑫伴侶　⑬和解　⑭側近　⑮声援　⑯同僚　⑰契　⑱子飼　⑲軽蔑　⑳遠慮

109日目 覚えておきたい料理の漢字1

月　日
正解数　／20問

●――線にあてはまる漢字を書きましょう。

1 から揚《あ》げ（　　）
2 つけ物《もの》（　　）
3 さしみ（　　）
4 さんおん糖《とう》（　　）
5 ばくが糖《とう》（　　）
6 和《わ》さんぼん（　　）
7 にはい酢《ず》（　　）
8 じょうぞう酒《しゅ》（　　）
9 味《み》噌《そ》でんがく（　　）
10 がん塩《えん》（　　）

●次の漢字を読みましょう。

11 薬缶（　　）
12 麺棒（　　）
13 楊枝（　　）
14 菜箸（　　）
15 皿（　　）
16 杓文字（　　）
17 俎板（　　）
18 鍋（　　）
19 急須（　　）
20 包丁（　　）

107日目の答え

①団子　②塩　③餅（餅）　④魚　⑤衣食　⑥戦（軍）　⑦医者　⑧飯　⑨山椒　⑩脂　⑪手塩　⑫鰯　⑬膾　⑭名物　⑮豆腐

110日目 日常生活でよく出てくる基本の漢字2

月　日
正解数　／20問

●次の漢字を読みましょう。

1 親睦（　　）

2 備蓄（　　）

3 緩和（　　）

4 禍根（　　）

5 夢心地（　　）

6 懸賞金（　　）

7 正念場（　　）

8 唐突（　　）

9 遺言（　　）

10 信憑性（　　）

●次の□にあてはまる漢字を書きましょう。

11 規則《きそく》を□《てっ》□《ぱい》する。

12 作品集《さくひんしゅう》が□《ふっ》□《こく》される。

13 アルコール□《しょう》□《どく》をする。

14 先輩《せんぱい》と□《しょく》□《じ》に行《い》く。

15 □《かく》□《やす》航空券《こうくうけん》を予約《よやく》する。

16 □《なみ》□《かぜ》を立《た》てないように。

17 古《ふる》い橋《はし》を□《ほ》□《きょう》する。

18 □《か》□《けい》簿《ぼ》をつける。

19 描写《びょうしゃ》の□《か》□《げき》な映画《えいが》。

20 タレントの□《に》□《がお》□《え》。

108日目の答え

①きゅうり　②えのきたけ（えのきだけ）　③あさつき　④かき　⑤なす（なすび）　⑥こんにゃく　⑦みょうが　⑧たらばがに　⑨しょうが（しょうきょう）　⑩たけのこ　⑪かぶ（かぶら）　⑫のり　⑬さけ（しゃけ）　⑭さわら　⑮あんず　⑯まぐろ　⑰チンゲンサイ（ちんげんさい）　⑱くるみ　⑲ようかん　⑳かんてん

111日目 おさえておきたい食べ物の漢字1

月　日

正解数　／19問

●次の食べ物を漢字で書きましょう。

1 しゅんぎく（　　）

2 こんぶ（　　）

3 にんじん（　　）

4 こまつな（　　）

5 とうふ（　　）

6 だいこん（　　）

7 そうめん（　　）

8 あずき（　　）

9 えだまめ（　　）

10 はくさい（　　）

●次の食べ物を表す漢字を語群から選んで書きましょう。

11 しめじ（　　）

12 もも（　　）

13 さといも（　　）

14 ふき（　　）

15 ごぼう（　　）

16 にんにく（　　）

17 わかめ（　　）

18 すだち（　　）

19 なめこ（　　）

語群

〔酸橘　牛蒡　蕗　桃　里芋
滑子　湿地　大蒜　若布〕

109日目の答え

①唐（空）　②漬　③刺身　④三温　⑤麦芽　⑥三盆　⑦二杯　⑧醸造　⑨田楽　⑩岩　⑪やかん（やっかん）　⑫めんぼう　⑬ようじ　⑭さいばし　⑮さら　⑯しゃもじ　⑰まないた　⑱なべ　⑲きゅうす　⑳ほうちょう

112日目 書けそうで書けない料理に関する漢字

月　日

正解数　／20問

●次の□にあてはまる漢字を書きましょう。

1 貝《かい》を□《から》□《い》りする。

2 鰻《うなぎ》の□《かば》□《や》き。

3 鶏肉《とりにく》を□《そ》ぎ切《ぎ》りにする。

4 青菜《あおな》の□《しら》□《あ》え。

5 □《さん》□《とく》包丁《ぼうちょう》を使《つか》う。

6 □《しょう》□《ちゅう》漬《づ》けを作《つく》る。

7 煮物《にもの》に□□《しらが》葱《ねぎ》を飾《かざ》る。

8 海老《えび》の□《せ》腸《わた》を取《と》る。

9 □《そう》□《ざい》を買《か》う。

10 □《お》□《せち》料理《りょうり》の下《した》ごしらえ。

11 □《めい》□《めい》皿《ざら》に取《と》り分《わ》ける。

12 ご飯《はん》を□《た》く。

13 ごまを□《い》る。

14 鯛《たい》の□《うしお》□《じる》。

15 鰤《ぶり》の□《あら》を煮《に》る。

16 □《で》□《ば》包丁《ぼうちょう》で魚《さかな》を下《お》ろす。

17 □《めん》つゆを薄《うす》める。

18 □《しょう》□《こう》酒《しゅ》を加《くわ》える。

19 鰹《かつお》の□《たた》き。

20 豚肉《ぶたにく》を□《うす》□《ぎ》りにする。

110日目の答え

①しんぼく　②びちく　③かんわ　④かこん　⑤ゆめごこち　⑥けんしょうきん　⑦しょうねんば　⑧とうとつ　⑨ゆいごん（いごん・いげん）　⑩しんぴょうせい　⑪撤廃　⑫復刻（覆刻・複刻）　⑬消毒　⑭食事　⑮格安　⑯波風　⑰補強　⑱家計　⑲過激　⑳似顔絵

113日目 お金と数にまつわる漢字

月　日
正解数　／19問

●次の□にあてはまる漢字を書きましょう。

1 □《よ》□《きん》を下《お》ろす。

2 □《びん》□《ぼう》な生活《せいかつ》

3 □《ぎん》□《こう》から融資《ゆうし》を受《う》ける。

4 □《しき》□《きん》が返還《へんかん》される。

5 江戸時代《えどじだい》の□《こく》□《だか》制《せい》。

6 株式《かぶしき》□《とう》□《し》を始《はじ》める。

7 五百円《ごひゃくえん》□《こう》□《か》をためる。

8 □《ちょ》□《ちく》に精《せい》を出《だ》す。

9 □《げっ》□《ぷ》で購入《こうにゅう》する。

10 □《ぶっ》□《か》が上昇《じょうしょう》する。

●次のものを数える言葉を語群から選んで、漢字に直して書きましょう。

11 豆腐《とうふ》　一（　　　）

12 うさぎ　二（　　　）

13 箸《はし》　三（　　　）

14 苗《なえ》　四（　　　）

15 短歌《たんか》　五（　　　）

16 雪《ゆき》　一（　　　）

17 落語《らくご》　二（　　　）

18 小説《しょうせつ》　二（　　　）

19 足袋《たび》　四（　　　）

語群
〔かぶ　そく　わ　ひら　へん
ちょう　しゅ　せき　ぜん〕

111日目の答え

①春菊　②昆布　③人参　④小松菜　⑤豆腐　⑥大根　⑦素麺（麺）（索麺〈麺〉）　⑧小豆　⑨枝豆　⑩白菜　⑪湿地　⑫桃　⑬里芋　⑭蕗　⑮牛蒡　⑯大蒜　⑰若布　⑱酸橘　⑲滑子

人間関係にまつわることわざ

月　日
正解数　／15問

●次の□にあてはまる漢字を書きましょう。

1　□《しゅ》に交《まじ》われば赤《あか》くなる
人は関わる相手によって、善人にも悪人にもなるということ。

2　渡《わた》る□《せ》□《けん》に鬼《おに》はなし
世の中には、困った時に助けてくれる情け深い人もいるということ。

3　後足《あとあし》で□《すな》をかける
去り際にさらに迷惑をかけたり、恩知らずなことをしたりする。

4　孝行《こうこう》したい時分《じぶん》に□《おや》はなし
おや孝行したい時にはすでにおやはなく、孝行したくてもできないということ。

5　□《ほとけ》の顔《かお》も三度《さんど》
どんなに温厚な人でも、何回もひどいことをされればしまいには怒り出すということ。

6　□《なさ》けは人《ひと》のためならず
人に親切にしておくと、その相手だけでなく、やがて自分に戻ってくるということ。

7　□《こ》は三界《さんがい》の首枷《くびかせ》
親はこどものことにとらわれて、一生自由がきかないということ。

8　□《せん》□《どう》多《おお》くして船山《ふねやま》へ登《のぼ》る
指図する人が多すぎて方針がはっきりせず、物事がとんでもない方向へ進んでいくこと。

●次の（　）にあてはまる漢字を語群から選んで書きましょう。

9　割《わ》れ（　　　）に綴《と》じ蓋《ぶた》
どんな人にもふさわしい配偶者がいるということ。

10　蜥蜴《とかげ》の（　　　）切《き》り
問い詰められた責任を、自分の部下にかぶせて逃げ出すこと。

11　（　　　）並《なら》び立《た》たず
同じ力を持った者がいれば必ず争い、どちらか一方が倒れるということ。

12　智《ち》に働《はたら》けば（　　　）が立《た》つ
理性や知性を持って動こうとすると、人間関係がぎすぎすして、暮らしにくくなること。

13　出《で》る（　　　）は打《う》たれる
優れているものは、とかくにらまれて、制裁されることもあるというたとえ。

14　袖《そで》振《ふ》り合《あ》うも（　　　）の縁《えん》
袖が触れ合うようなちょっとしたことも、前世からの因縁によって起こっているということ。

15　金《かね》持《も》ち（　　　）せず
金持ちは、けんかをすると損することがわかっているのでけんかはしないということ。

語群
〔喧嘩《けんか》　多生《たしょう》　両雄《りょうゆう》　尻尾《しっぽ》　角《かど》　鍋《なべ》　杭《くい》〕

112日目の答え
①乾煎（空煎・乾炒）　②蒲焼　③削（殺）　④白和　⑤三徳　⑥焼酎　⑦白髪　⑧背　⑨総菜（惣菜）　⑩御節　⑪銘銘　⑫炊　⑬煎（煎・炒・熬）　⑭潮汁　⑮粗　⑯出刃　⑰麺（麵）　⑱紹興　⑲叩（敲）　⑳薄切

料理・食べ物のことわざ・慣用句2

月　日　正解数　／15問

● 次の□にあてはまる漢字を書きましょう。

1 □《うお》□《こころ》あれば水心《みずごころ》
相手が好意を持ってくれれば、こちらもそれに応じるということ。

2 えぐい□《しぶ》いも味《あじ》のうち
えぐみもしぶみも好みではないが、なくてはならない味だということ。

3 □《いも》の煮《に》えたもご存《ぞん》じない
甘やかされて育ち、世間にうといこと。

4 □《じゅう》□《ばこ》の隅《すみ》をほじくる
どうでもいいことまで干渉して、問題にする。

5 □《ちゃ》□《ばら》も一時《いっとき》
わずかなものでも一時しのぎになることのたとえ。

6 鬼《おに》も十八《じゅうはち》□《ばん》□《ちゃ》も出花《でばな》
どんな女性でも、年頃になれば女性らしい魅力が出るというたとえ。

7 夏座敷《なつざしき》と鰈《かれい》は□《えん》□《がわ》がよい
暑い夏はえんがわのほうが風通しがよいということ。

8 鯛《たい》の□《お》より鰯《いわし》の□《かしら》
大きい団体で下っ端として働くより、小さい団体の長になれ、ということ。

● 次の（　）にあてはまる漢字を語群から選んで書きましょう。

9 丸《まる》い（　　　）も切《き》りようで四角《しかく》
物事はやり方次第でうまくいくこともあれば、角がたつこともある。

10 （　　　）で鯛《たい》を釣《つ》る
少しの元手や労力で多くの利益を得ること。

11 （　　　）の生《い》き腐《ぐさ》れ
イキがいいようにみえて腐っていることがあるから、食中毒には注意せよ、ということ。

12 俎板《まないた》の（　　　）
相手のなすがままで、まかせるほかない状態のこと。

13 （　　　）を売《う》る
むだ話をして時間をつぶすこと。

14 （　　　）は百薬《ひゃくやく》の長《ちょう》
適量を守っていれば、どんな薬よりも優れた薬だということ。

15 （　　　）の共食《ともぐ》い
お互いが食い合うこと。

語群
〔油《あぶら》　卵《たまご》　酒《さけ》　海老《えび》　蛸《たこ》　鯉《こい》　鯖《さば》〕

113日目の答え
①預金　②貧乏　③銀行　④敷金　⑤石高　⑥投資　⑦硬貨　⑧貯蓄　⑨月賦　⑩物価　⑪丁　⑫羽　⑬膳　⑭株　⑮首　⑯片（枚）　⑰席　⑱編（篇）　⑲足

116日目 おさえておきたい食べ物の漢字2

月　日
正解数　／20問

●次の食べ物を漢字で書きましょう。

1 やまいも（　　）
2 はるさめ（　　）
3 だいず（　　）
4 れんこん（　　）
5 はちみつ（　　）
6 とりにく（　　）
7 ひらめ（　　）
8 いせえび（　　）
9 こうやどうふ（　　）
10 みかん（　　）

●次の漢字を読みましょう。

11 饂飩（　　）
12 水雲（　　）
13 納豆（　　）
14 帆立貝（　　）
15 林檎（　　）
16 饅頭（　　）
17 冬瓜（　　）
18 春巻（　　）
19 葡萄（　　）
20 柚子（　　）

114日目の答え

①朱　②世間　③砂　④親　⑤仏　⑥情　⑦子　⑧船頭　⑨鍋　⑩尻尾　⑪両雄　⑫角　⑬杭　⑭多生　⑮喧嘩

117日目 料理・食べ物の四字熟語

月　日　正解数　／16問

●次の□にあてはまる漢字を書きましょう。

1 □《ぎゅう》□《いん》馬食《ばしょく》
うしが水をのみ、馬が草を食べるように大量にのみ食いすること。

2 □《い》食同《しょくどう》□《げん》
薬と食べ物は、体内に入って体調を整える意味で、その本質は同じということ。

3 五《ご》□《こく》□《ほう》穣《じょう》
さまざまなこく物がゆたかに実ること。

4 □《て》□《まえ》味噌《みそ》
自分のしたことを得意げに自慢すること。

5 粗《そ》□《い》粗《そ》□《しょく》
質素な生活のたとえ。

6 街道《かいどう》□《ゆ》漬《づけ》
形式ばかりのふるまいやあいさつ。

7 一《いち》□《りゅう》□《まん》倍《ばい》
わずかなものから大きな利益が得られることのたとえ。

8 飽衣《ほうい》□《び》□《しょく》
満ち足りた生活をすることのたとえ。

9 □《ちん》味《み》□《か》肴《こう》
めずらしくておいしい豪華な食事のこと。

10 □《はい》盤《ばん》□《しゅ》肴《こう》
宴会のためのさけや料理。

11 一《いち》□《じゅう》一《いっ》□《さい》
粗食のたとえ。

12 無《む》□《い》□《と》食《しょく》
なにもせずに、ただすごしていること。

13 □《び》□《み》佳肴《かこう》
ごちそうのこと。

14 無芸《むげい》□《たい》□《しょく》
これといった特技はないが、たべることだけは人並み以上であること。

15 日常《にちじょう》□《さ》□《はん》
ありふれた日常のことや、平凡なことのたとえ。

16 □《ぼう》□《いん》暴食《ぼうしょく》
度を越して食べたりのんだりすること。

115日目の答え
①魚心　②渋　③芋　④重箱　⑤茶腹　⑥番茶　⑦縁側　⑧尾・頭　⑨卵　⑩海老　⑪鯖　⑫鯉　⑬油　⑭酒　⑮蛸

118日目 書けそうで書けない食べ物に関する漢字

月　日

正解数　／20問

●次の食べ物を漢字で書きましょう。

1 せんちゃ（　　　）

2 なし（　　　）

3 もも（　　　）

4 めんたいこ（　　　）

5 ぎゅうにゅう（　　　）

6 すいか（　　　）

7 ゆりね（　　　）

8 にんじん（　　　）

9 いちご（　　　）

10 あぶらな（　　　）

●次の食べ物を表す漢字を語群から選んで書きましょう。

11 きくらげ（　　　）

12 はまぐり（　　　）

13 ぎゅうひ（　　　）

14 かんぴょう（　　　）

15 にら（　　　）

16 ところてん（　　　）

17 そば（　　　）

18 ごま（　　　）

19 たちうお（　　　）

20 しじみ（　　　）

語群

〔太刀魚　蜆　蛤　韮　蕎麦
求肥　心太　木耳　干瓢
胡麻〕

116日目の答え

①山芋（薯蕷）　②春雨　③大豆　④蓮根　⑤蜂蜜　⑥鶏肉（鳥肉）　⑦平目（鮃・比目魚）　⑧伊勢海老（伊勢蝦）　⑨高野豆腐
⑩蜜柑　⑪うどん　⑫もずく　⑬なっとう　⑭ほたてがい　⑮りんご　⑯まんじゅう（マントウ）　⑰とうがん（とうが）
⑱はるまき　⑲ぶどう　⑳ゆず

119日目 覚えておきたい料理の漢字2

月　日

正解数　／20問

●次の□にあてはまる漢字を書きましょう。

1 魚《さかな》を□《に》る。

2 お湯《ゆ》を□《わ》かす。

3 肉《にく》まんを□《む》す。

4 野菜《やさい》を□《いた》める。

5 きのこの□《いし》□《づ》きを取《と》る。

6 メレンゲの□《つの》が立《た》つ。

7 人参《にんじん》を□《たん》□《ざく》切《ぎ》りにする。

8 大根《だいこん》を□《せん》□《ぎ》りにする。

9 □《こう》□《しん》料《りょう》をきかせた料理《りょうり》。

10 ほうれん草《そう》のお□《ひた》し。

11 すき焼《や》きの□《わ》り□《した》。

12 鍋《なべ》を□《じか》□《び》にかける。

13 蓮根《れんこん》を□《はん》□《げつ》に切《き》る。

14 豆腐《とうふ》の□《み》□《そ》□《しる》。

15 枝豆《えだまめ》に□《あら》□《じお》をふる。

16 青《あお》□《とう》□《がら》□《し》を添《そ》える。

17 餅《もち》に□《き》な□《こ》をまぶす。

18 茶事《ちゃじ》の□《かい》□《せき》料理《りょうり》。

19 鰹《かつお》の□《たつ》□《た》□《あ》げを作《つく》る。

20 □《じゅう》□《ばこ》に総菜《そうざい》を詰《つ》める。

117日目の答え

①牛飲　②医・源　③穀豊　④手前　⑤衣・食　⑥湯　⑦粒万　⑧美食　⑨珍・佳　⑩杯・酒　⑪汁・菜　⑫為徒　⑬美味　⑭大食　⑮茶飯　⑯暴飲

120日目 人間関係にまつわる四字熟語

月　日　正解数　／16問

●次の□にあてはまる漢字を書きましょう。

1 □《こう》言《げん》□《れい》色《しょく》
相手に気に入られるようにお世辞を言ってこびること。

2 意《い》気《き》□《とう》□《ごう》
気持ちがぴったりあって、仲良くなること。

3 一《いっ》視《し》□《どう》□《じん》
差別なく平等に扱うこと。

4 □《や》□《ろう》自《じ》大《だい》
自分の力量を知らずに、いばっていること。

5 丁《ちょう》丁《ちょう》□《はっ》□《し》
お互いに激しく言い合うこと。

6 □《こう》顔《がん》無《む》□《ち》
ずうずうしくて、はじ知らずなこと。

7 相《そう》□《し》相《そう》□《あい》
お互いにあいし合い、慕い合うこと。

8 □《かい》老《ろう》同《どう》□《けつ》
夫婦が死ぬまで仲良く連れ添うことのたとえ。

●次の漢字を読みましょう。

9 一諾千金（　　　）
一度引き受けた約束は、必ず守るということ。転じて、一たび承諾を与えたら、それは千金の重みがあるから、必ず実行しなければならない、という意。

10 合縁奇縁（　　　）
人と人との巡り合わせは、すべて世の中の不思議な因縁によるということ。

11 一家団欒（　　　）
家族が全員集まって楽しむこと。

12 怨憎会苦（　　　）
恨みつらみを持つ相手と会わなければならない苦しみのこと。

13 一子相伝（　　　）
先祖代々の技術を相続者ひとりだけに伝え、ほかには漏らさないこと。

14 他流試合（　　　）
ほかの流派の人と試合をすること。

15 依怙贔屓（　　　）
ある人だけをひいきにすること。

16 八方美人（　　　）
誰からもよく思われるようにふるまう人のこと。

118日目の答え

①煎茶（煎茶）　②梨　③桃　④明太子　⑤牛乳　⑥西瓜（水瓜）　⑦百合根　⑧人参　⑨苺（莓）　⑩油菜　⑪木耳　⑫蛤　⑬求肥　⑭干瓢　⑮韮　⑯心太　⑰蕎麦　⑱胡麻　⑲太刀魚　⑳蜆

121日目

料理や食べ物に関係のある「形容する言葉」

月　日　正解数　／20問

●答えは8ページです。

●次の味覚を表す漢字を読みましょう。

1 渋（　　）い

2 旨（　　）い

3 辛（　　）い

4 芳（　　）しい

5 瑞瑞（　　）しい

6 香（　　）ばしい

7 淡泊（　　）

8 円（　　）やか

9 凝縮（　　）

10 歯応（　　）え

●次の□にあてはまる漢字を書きましょう。

11 □《にが》いコーヒーを飲《の》む。

12 □《お》□《い》しく味《あじ》わって食《た》べる。

13 □《あま》□《ず》っぱいタレ。

14 □《のう》□《こう》なソース。

15 □《だん》□《りょく》のある肉《にく》。

16 □《じ》□《み》豊《ゆた》かな料理《りょうり》。

17 □《そう》□《かい》なのどごし。

18 祖母《そぼ》は□《やわ》らかいご飯《はん》を好《この》む。

19 □《くち》□《あ》たりのよいお菓子《かし》。

20 □《せん》□《さい》な味《あじ》わいのだし。

119日目の答え

①煮　②沸　③蒸　④炒　⑤石突　⑥角　⑦短冊（短尺）　⑧千切（織切）　⑨香辛　⑩浸　⑪割・下　⑫直火　⑬半月　⑭味噌汁　⑮粗塩　⑯唐辛子（唐芥子・蕃椒）　⑰黄・粉　⑱懐石　⑲竜田揚　⑳重箱

122日目 読めそうで読めない料理に関する漢字

●答えは9ページです。

月　日　正解数　／20問

●次の漢字を読みましょう。15〜20は—線の漢字を読みましょう。

1 灰汁（　　）

2 布巾（　　）

3 釜揚げ（　　）げ

4 強力粉（　　）

5 蒸籠（　　）

6 煮凝り（　　）り

7 焜炉（　　）

8 お櫃　お（　　）

9 煎餅（　　）

10 珈琲（　　）

11 蕎麦（　　）

12 屠蘇（　　）

13 魚醤（　　）

14 味醂（　　）

15 肉《にく》に粉《こな》を塗す。（　　）

16 小麦粉《こむぎこ》を練る。（　　）

17 芋《いも》の皮《かわ》を剝く。（　　）

18 酢水《すみず》に晒す。（　　）

19 烏龍茶を飲《の》む。（　　）

20 賽の目《め》切《ぎ》りにする。（　　）

120日目の答え

①巧・令　②投合　③同仁　④夜郎　⑤発止（発矢）　⑥厚・恥　⑦思・愛　⑧借・穴　⑨いちだくせんきん　⑩あいえんきえん
⑪いっかだんらん　⑫おんぞうえく　⑬いっしそうでん　⑭たりゅうじあい　⑮えこひいき　⑯はっぽうびじん

脳ドリルで効率よくトレーニング

脳を鍛える"3つのポイント"

脳のトレーニングで重要なポイントは、3つあります。

ひとつめは、できるだけ速く解くこと。

脳のトレーニングは学校のテストとは違い、正解を出すことはあまり重要ではありません。間違いをおそれて慎重に答えるのではなく、できるだけ早く問題を解くことが大切です。なぜなら、できるだけ早く解くことで、脳の情報処理能力が上がるからです。頭の回転力がぐんぐん向上し、脳の前《ぜん》頭前《とうぜん》野《や》(4ページ参照)の働きがアップします。

ふたつめは、短い時間で集中し、全力で解くこと。

短い時間で集中し、全力で解くことが、脳の機能を向上させるために重要です。問題を解くことに慣れてくると、「もっとたくさんの問題を解きたい」とか「たくさんやると、もっと脳の機能が上がるのではないか」と思うかもしれませんが、それよりも、とにかく短時間でスピーディーにやることに重点をおきましょう。

３つめは、脳ドリルを毎日続けること。

2～3日に1回とか、たまにやる程度では、その効果は発揮されません。時間はいつでも構いません。1日1回、短時間で集中して「脳ドリル」を行うことが脳の活性化につながります。

毎日の日課に取り入れて、習慣づけましょう。継続することが、脳の健康を守ります。

ポイント1 集中して速く解く！ ▶ **脳の情報処理力が向上**

ポイント2 短時間で全力で解く！ ▶ **1日1回、短時間でOK**

ポイント3 毎日続ける！ ▶ **脳の健康習慣！**

元気脳練習帳
改訂版
脳が活性化する大人の漢字 脳ドリル

2022年9月13日　第1刷発行
2025年5月11日　第5刷発行

監修者	川島隆太
発行人	川畑 勝
編集人	中村絵理子
編集長	古川英二
発行所	株式会社Gakken
	〒141－8416　東京都品川区西五反田2-11-8
印刷所	中央精版印刷株式会社

STAFF

問題作成	安原里佳
本文デザイン	バラスタジオ、釣巻デザイン室
校正	奎文館
編集協力	オフィス201(小形みちよ)

●本書は常用漢字音訓表の送りがなに沿って作成しています。

この本に関する各種お問い合わせ先

●本の内容については、下記サイトのお問い合わせフォームよりお願いします。
https://www.corp-gakken.co.jp/contact/
●在庫については　Tel 03-6431-1250（販売部）
●不良品（落丁・乱丁）については　Tel 0570-000577
学研業務センター
〒354-0045　埼玉県入間郡三芳町上富279-1
●上記以外のお問い合わせはTel 0570-056-710（学研グループ総合案内）

学研グループの書籍・雑誌についての新刊情報・詳細情報は、下記をご覧ください。
学研出版サイト　https://hon.gakken.jp/